JN107355

ヤバい勉強脳

作業療法士
菅原洋平

すぐやる、続ける、記憶する
科学的学習スタイル

Dangerous
study brain
Learning method

飛鳥新社

○

今までの勉強常識		科学的勉強常識
勉強は、もともとできる人とできない人がいる。	➡	迷走神経の働きをうまく導き、勉強ボディをつくれば、誰でも勉強できる。
長時間、席に座って、勉強のみに集中する。	➡	勉強する時間を区切って、席を立ったり、目線を外したり、水分をとることで勉強パフォーマンスは上がる。
勉強できないときは危機感が足りない。だから、勉強するには危機感を持たなければならない。	➡	勉強できないときは、体の状態に従っているだけ。だから、まず勉強ボディをつくる。
とにかく教材を読み込む。勉強中はしゃべらない。	➡	不十分な理解のまま、学んだことを言語化、文章化してみる。
ご褒美を設けるとやる気になる。	➡	勉強がうまくいかないときにやめてしまう原因になるからご褒美は設けない。
乗り出したらいける所までやる。勉強できそうなときに、できるだけかせいでおく。	➡	乗り出したら一旦区切り、別のことをして勉強に戻る。勉強に乗れる環境設定を再現する。
勉強時間を増やすために睡眠を削る。	➡	勉強した知識の定着は睡眠中に行なう。

プロローグ　生物のスペックに逆らわずに勉強しよう

学生時代から今に至るまで、自分が勉強してきた場面を、思い出してみましょう。

その学習環境や勉強方法が、あなたの「勉強常識」です。

もし、あなたが今、「勉強がはかどらない」「もっと勉強の効果や効率を上げたい」と感じているならば、あなたの「勉強常識」から一旦(いったん)離れて、これからお話しする「科学的な勉強常識」を試してみてください。

本書でご紹介する、**脳と体を最適に覚醒(かくせい)させる方法**なら、

「スムーズに勉強を始める」

「やる気にムラがなく、安定して勉強に集中する」

「勉強の理解を深める」

「新しい知識を覚える、その知識を応用する」

「問題の解決策がひらめく」

ということが、可能になります。

「科学的な勉強常識」で、最も大切なことは「**脳の負担を減らし、省エネで勉強すること**」

です。

気力や意志の力、努力に頼って勉強すると、脳は大きく消耗し、勉強を前にして体が動かなくなってしまいます。

また、「一日勉強し始めればいつまででもやり続けられる」というように、過度に集中することを自分の能力だと思っていると、総合的なパフォーマンスは下がってしまいます。

本書を使って、生物である人間のスペック（脳と体の構造・性能）を知り、それに合わせた方法で勉強をすれば、無理なくパフォーマンスが上げられます。もともとの頭の良さは必要ありません。

脳と体のスペックに合わせるには、意図的に学習環境をつくることが大切です。

後ほど詳しくお話ししますが、脳神経のひとつである迷走神経（めいそうしんけい）の働きをうまく導く環境設定をすれば、勉強に最適な脳と体がつくられます。その環境設定は難しいことではなく、誰でも今すぐに試せることばかりです。

本書を読み終わる頃には、**「科学的な勉強常識」が、あなたの「勉強常識」**になっているはずです。

勉強しなければならない……、だけどできない

時間に余裕ができたから、前から気になっていた勉強を始めてみよう。

そう思って、ネットで教材を検索し、口コミをくまなくチェックして、1時間以上かけてようやく2冊の教材を注文した。届くのが楽しみだ。新しい自分になれる気がする。

2日後に、教材が届く。袋を開ける。パラパラめくっておおまかに内容を確認し、机の上に置いた。

それから、1週間。教材は、郵便物や公共料金の領収書、やることリストを書いたメモなどの下で一度も使われないままじっとしている。

時間に余裕があるのだから、勉強を始めればいい。そんなことはわかっている。ところが、なぜか足が机に向かない。自分と机との間に壁があるかのようで近づけない。勉強を始めないからといって、教材を片づけることもできない。次第に教材から押されるような圧力を感じるようになって、教材の近くに行くと、体が萎縮(いしゅく)する。

「勉強を始めてみようなんて口先だけでやる気がないんだろう」という人もいると思うけど、やる気はある。現にこうして、「毎日毎日勉強しなければ」と考え続けている。

こんな問題を解決するのが、私の仕事です。

「息が止まっている」ことに気づいていますか？

私は、解決するにあたり、このような提案をします。

教材の前に立つと息が止まっているはず。

だから、教材の前に立ったらゆっくり6秒数えながら息を吐いて、自然に空気が肺に入ってくるように息を吸ってみましょう。

息を吐くと、教材からの圧力は消えていく。萎縮していた体はラクになる。そして、教材を手に取ることができる。これは、呼吸によって「ヴェーガル（迷走神経）・ブレーキ」が作動し、過剰に高まっていた心拍数が低下してパニック状態から解放されたからです。

こんな感じで、**体から行動を変えていくことができます。**

「勉強を前にパニックになる」、おおげさに聞こえるかもしれませんが、これは人間ならよく起こることです。

私たちがやるべきことを前に立ちすくんだり、見て見ぬふりをするとき、例外なく、息を止めるか呼吸が浅くなり、心拍数が高まっています。

この体の反応を見過ごさず、体から変えてみると、やる気や意志の力ではどうにもならなかった問題が解決していきます。

「心的外傷トラウマ」と「勉強できない」の共通メカニズム

私の仕事は、作業療法士というリハビリテーションの専門職です。脳と体の力を最大限に引き出し、ひとつの作業を充実して行なうお手伝いをしています。

東京の神田にある、ビジネスパーソンのメンタルケアを専門に行なうベスリクリニックで外来を担当しています。

このクリニックでは、**「メンタル（精神）の問題」を「フィジカル（体）の問題」としてとらえています。**

そして、診療の目的はセルフケア能力（自分で自分の心身の健康を管理する能力）を高めることです。

クリニックに通わなくても済み、また別の不調で医療にかからずに済むように、毎日の生活で実践できるセルフケアをトレーニングしています。

ですから、心療内科で処方される抗うつ薬、抗不安薬、睡眠導入剤を、トレーニングによって、休薬、断薬していきます。

利用する人は企業で働く人が多く、体を整えることで薬に頼らずにメンタルの不調を改善し、仕事でのパフォーマンスを高めています。

私の職業である作業療法士は、病気や障がいを負った人の「もうちょっとうまくできたら」を解決するのが仕事です。

そして私は、病気や障がいより手前の、企業で元気に働く人たちの「もうちょっとうまくできたら」を解決する仕事をしています。

そんな背景から、**「勉強に手が出ない」「勉強に集中できない」「勉強習慣が定着しない」**などという、**日常のごくささいな、でも、気がかりでやっかいな問題解決**に取り組んでいます。

作業療法士が行なう脳を治療する技術は、勉強を通して脳を成長させることに応用できます。

日常のささいな問題を解決するときは、病気や障がいという線引きを取り除いて、すべて一直線上に並んだ現象ととらえ、その問題と似通った現象を参照します。

「勉強に手が出ない」現象と似通っているのは、「トラウマ」です。

トラウマとは、心的外傷を意味し、心の傷に長い間とらわれて日常の行動に負の影響を受けることを指します。

この言葉は、最近では市民権を得ていて、「小学校の運動会がトラウマで、ランニングはやりたくない」といった具合に日常的に使用されています。

「理想の勉強状態」を実現！　迷走神経を調整する「ポリヴェーガル理論」

「ポリヴェーガル理論」という、トラウマの治療で用いられる考え方があります。

ヴェーガルとは、脳神経のひとつである迷走神経のことです。これに、ポリという複数の集合体という接頭語がつきます。

したがって、「ポリヴェーガル」とは、「複数の迷走神経系」という意味です。

「複数の迷走神経群系は、私たちの全身の状態を調整していて、その調整に不具合が生じると、トラウマという現象として表面化する。

反対に、迷走神経の調整をうまく機能させれば、トラウマからは解放される」

このような考え方です。

深呼吸でこわばった体がゆるみ、心の緊張が緩和したという経験は、誰しもあるはずです。

この現象を細かくひもとき、「それを勉強法に応用しよう」というのが本書の狙いです。

これは、リハビリテーションの場面でよく使われる言葉です。

「体が動けば、心は動く」

理屈や駆け引きで心の状態を変えるのは難しいですが、実体のある体ならば自分自身で変えることができます。

病気や障がいとは無縁の日常でも、「体が動くと、心は動くのだ」ということを体感してもらえるとうれしいです。

本書は、迷走神経という耳馴染みのない神経の働きを基軸にするので、図を使ってわかりやすく解説します。

図を見て大まかにコンセプトをつかんでいただき、後ほどお話しする「4つのステップ」を解説しながら、勉強における「解決行動を提案」していきます。
勉強に臨む**理想的な全身状態（脳と体の状態）である「勉強ボディ」**のつくり方は、

日常的に試せることばかりです。パラパラめくって目についた項目から試していただいてもいいと思います。

それでは一緒に、勉強嫌いや苦手意識から解放され、「楽しく勉強できる体」をつくっていきましょう。

本書のゴール＝「脳と体を勉強に最適なゾーンに入れる」

本書をご利用いただくにあたって、目指すゴールを明確にしておきたいと思います。

次ページの図をご覧ください。

縦軸は、「脳が目覚めている度合い」である覚醒度を示しています。上に行くほど覚醒度は高くなり、下に行くほど低くなります。

脳と体の覚醒レベルは、大きく3つのレベルに分かれています。

「高い覚醒」「最適な覚醒」「低い覚醒」です。

覚醒レベルが高くなり過ぎると、ソワソワ落ち着かなくなったり、イライラしてしまいます。覚醒レベルが低くなり過ぎると、やる気が起こらなくなってしまいます。

高くもなく低くもない覚醒レベルが、勉強に集中するための最適なゾーンです。

そして、最適ゾーンに入るために必要なのが、本書を通してつくりあげる「勉強ボディ」です。

この3つの覚醒レベルは、自律神経の3階層が担っています。

「高い覚醒は交感神経系」が、**「低い覚醒は背側迷走神経系（はいそくめいそうしんけいけい）」**が、**「最適な覚醒は腹側迷走神経系（ふくそくめいそうしんけいけい）」**が担います。

シンプルな4ステップで「勉強ボディ」がつくられる

自然体で勉強を楽しめる勉強ボディは、次の4つのステップでつくられます。

勉強に最適なテンションとは？

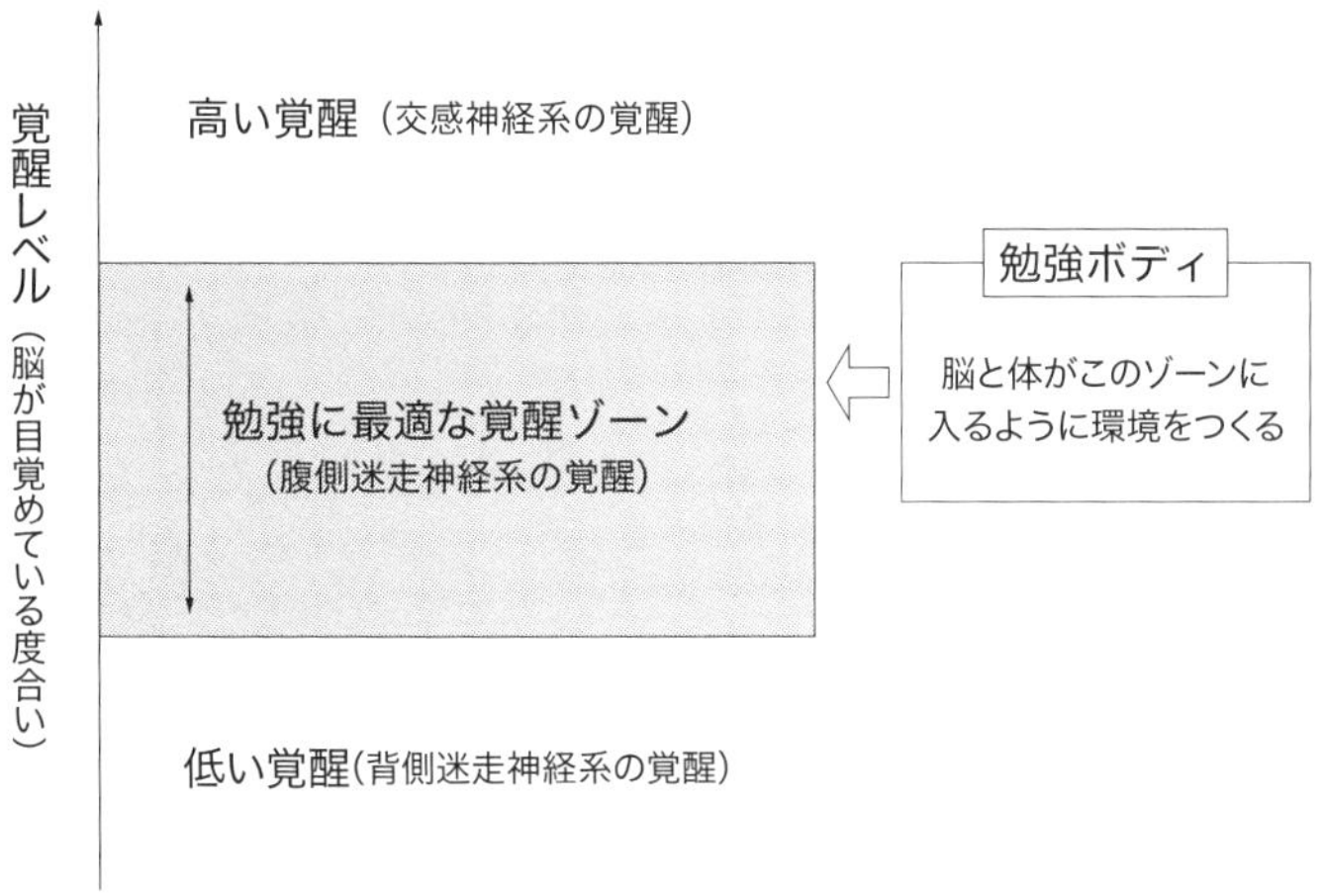

覚醒レベル（脳が目覚めている度合い）

高い覚醒（交感神経系の覚醒）

勉強に最適な覚醒ゾーン
（腹側迷走神経系の覚醒）

勉強ボディ
脳と体がこのゾーンに入るように環境をつくる

低い覚醒（背側迷走神経系の覚醒）

【ステップ1】 **チューニング**
【ステップ2】 **セッティング**
【ステップ3】 **アウトプット**
【ステップ4】 **メンテナンス**

ステップ1はチューニングです。**日常の小さな習慣で勉強ボディをつくります。**

ステップ2は、セッティングです。**取りかかるだけで勉強ボディがつくられる環境設定をします。**

ステップ3は、アウトプットです。**体の動きなくして勉強ボディは維持できません。**

ステップ4は、メンテナンスです。毎日**必ず行なう睡眠を活用するこの技術は、勉強ボディをつくるために欠かせません。**

この4ステップは、自律神経の働きを基にしています。

これらのステップを確実に踏めるようにサポートするのが、私たちの中にいるセルフトレーナーです。

それでは、セルフトレーナーと各ステップについて、少し詳しくご紹介していきます。

勉強ボディをつくる 4つのステップ

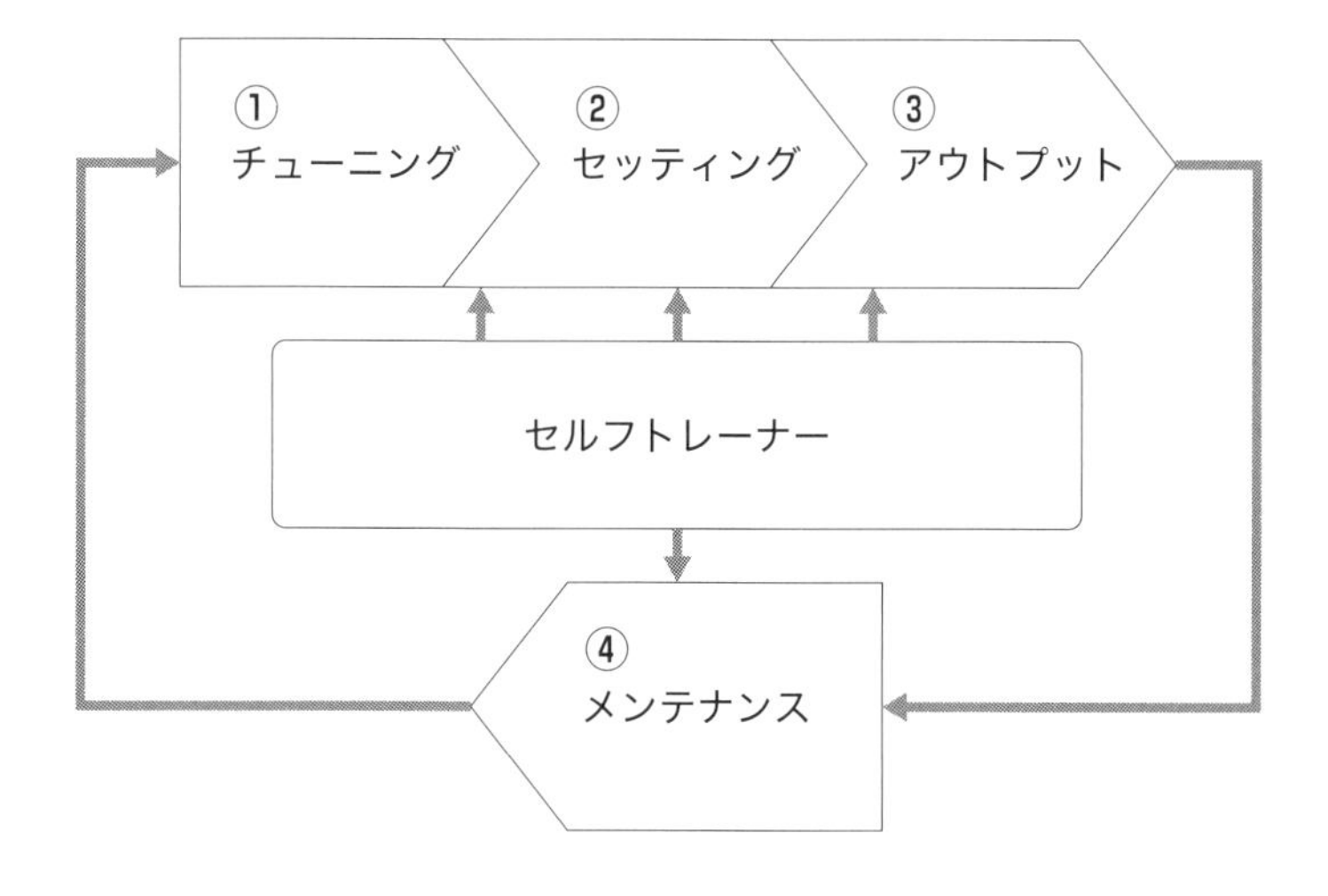

【本書の構成について】

脳を最適に覚醒する「勉強ボディ」のつくり方

セルフトレーナー：自分で自分をリードするメタ認知機能

本書の**第1章**では、**脳と体が勉強に最適なゾーンに入った状態である「勉強ボディ」**についてお話しししています。つまり、勉強するうえで、「最適に覚醒した脳と体の状態とは、どういう状態なのか」を解説します。これから、ステップ1〜4を踏むことで、その「勉強ボディ」をつくり上げることができます。

第2章では、ステップ1を行なう前に、すべてのステップで確実に行動を変えるために、まずは自分の中にいる「セルフトレーナー」を呼び起こしましょう。

質問やチャートを使って、そもそもどんなふうに勉強している姿を「理想の自分」として描いているのかを振り返り、そのイメージを明確にします。

そして、**「理想のイメージと勉強ボディとのギャップを埋める作業」を通して、自ら**

を第三者の目線で見るメタ認知機能を呼び出します。

勉強に必要なのは、自分の頑張りではなく、自分が頑張れる環境を用意する力です。

それをもたらしてくれるセルフトレーナーが用意できたら、ステップ1に進みます。

【ステップ1】チューニング：体の動きを少し変えて、腹側迷走神経系を働かせる

第3章では、最初のステップ「体づくり」についてお話しします。

体が整っていなければ、頭は働かないし、前向きに勉強できません。体づくりと言っても、ハードな筋力トレーニングやランニングする習慣をつくる必要はありません。息を吐いたり、笑顔をつくったり、指サックをはめたり。勉強に臨むときに、ほんのちょっと心がければできることばかりです。体の準備ができたら、勉強を始めます。

勉強は、「入り方」がとても大切です。入り方次第で、集中できることもあれば、1日を全くムダに過ごしてしまうこともあります。

勉強にうまく入るのが、次のステップです。

【ステップ2】セッティング：過度な集中や勉強後のご褒美をやめる

どんな人にも、自分なりの勉強の仕方があります。ただし、これは経験則でつくられてきたものです。

もし、勉強に取りかかれなかったり、やるときとやらないときの波が激しかったら、それは勉強ボディを壊す環境になっています。脳と体は、用意された環境に従っただけ。脳と体を変えるには、環境を変えなければなりません。

勉強ボディの大敵は、「**大きな挑戦**」、「**過度な集中**」、そして「**ご褒美**」です。これらをやめてみることで、勉強が楽しくなってきます。

第4章では、「**なぜ、これらが勉強ボディを壊してしまうのか**」ということを解説しながら、勉強への入り方を紹介します。

【ステップ3】アウトプット：その日の勉強は必ず言語化して終える

生物にとって勉強は、「次の行動を向上させるためのもの」です。

自分の中に勉強内容を留めただけで行動に移さなければ、学んだ知識はすぐに失われてしまいます。学んだことを行動に移すと、その行動によって得られた情報が自律神経を介して勉強ボディをつくり続けます。

そのため、**アウトプットなしでは勉強ボディは維持できません。**

学んだことを人に教えると、「教えている自分のほうが理解が深まった」という経験があると思います。

人に教えることは勉強ボディを維持するために最も望ましい環境ですが、そういう環境がつくれなくてもアウトプットはできます。

「今日はこんなこと勉強してさ」と家族や友人にただ話してみてもいいですし、SNSやブログに書いてもいい、ひとり言としてつぶやいてもいい。

とにかく、その日の勉強の終わりには必ずアウトプットをしましょう。

第5章では、**アウトプットの方法**を厳選してご紹介します。使いやすい方法を試してみてください。

【ステップ4】メンテナンス：質の高い睡眠で、学んだ知識は自分のものになる

ここまでの3つのステップを、グルグル回るだけの円から「記憶を定着させる」「知識を応用する」「学びからひらめきを起こす」という成長のスパイラルに変える作業は、睡眠中に行なわれています。

誰でも毎日必ず行なう作業が睡眠です。それを、使いこなさないのはもったいないことです。

第6章では、**毎日の睡眠を成長ツールにランクアップする方法**を紹介します。

4ステップで、勉強に臨む理想的な「脳と体」が出来上がる

さあ、4日間で「勉強できる自分」に生まれ変わろう

実は、勉強できているときより、はかどらないときのほうが疲れます。

やるべきことを頭の中にとって置く（記憶しておく）には、その神経の電気刺激を保ち続けなければなりません。

そのうえで、スマホを見たり、動画を観たり、マンガを読んだり、お菓子を食べたりと、別の作業をしなければならないので、脳はどっと疲れてしまうのです。

自分を高めるための勉強。それを無理なく楽しくやるために、4ステップをグルグル回しながら、「勉強とはこうやるもの」という常識を自分の中に根付かせましょう。

勉強が面倒（めんどう）くさい、やりたくない、という常識も、最初からそうなっていたのではなく、自分の中でつくり上げられた常識です。

ですから、新しく別の常識をつくり上げることもできます。

「脳と体が快適なゾーンで勉強する」＝「あなたの勉強常識」

これをつくり上げましょう。「勉強」の常識が書き換わるのは**最速で4日**です。

まずは4日試してみると、前より疲れず、はかどっていることに気づくはずです。

ヤバい勉強脳　目次

第1章

科学的に最も勉強に適した脳と体の状態とは？

勉強効果と効率を最大化させる「ポリヴェーガル理論」を知ろう

第2章 勉強前の環境設定で、結果が決まる！

すぐに、何度も集中できる人の小さな習慣

少ない労力で勉強するための「体を使った」トレーニング【チューニング】

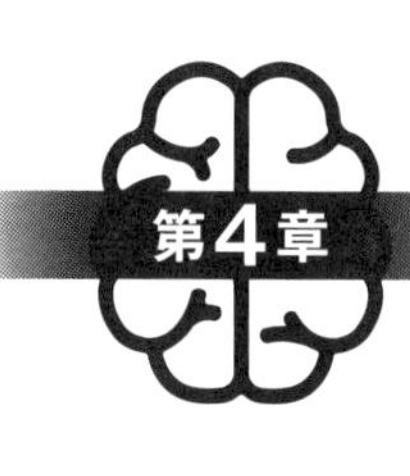

安定したパフォーマンスを実現し、「勉強が長続きしない」を防止！

やる気と集中の波をなくす「脳ネットワーク」の切り替え方【セッティング】

知識の理解を深める【アウトプット】と挫折防止策

わかったつもりにならない「言語化」「文章化」の技術と、「勉強のお悩みQ&A」

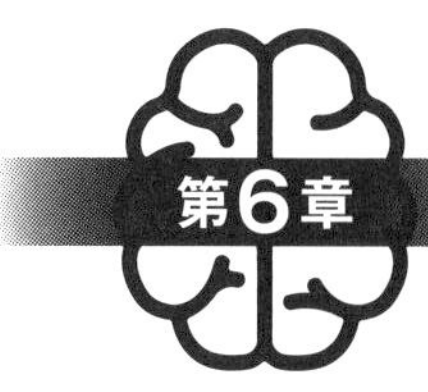

記憶の定着、知識の応用、ひらめきを生む「快眠法」

脳と体を回復させる「入眠」「睡眠」「起床」のコツ【メンテナンス】

素材提供：Marish, DwaFotografy /Shutterstock.com

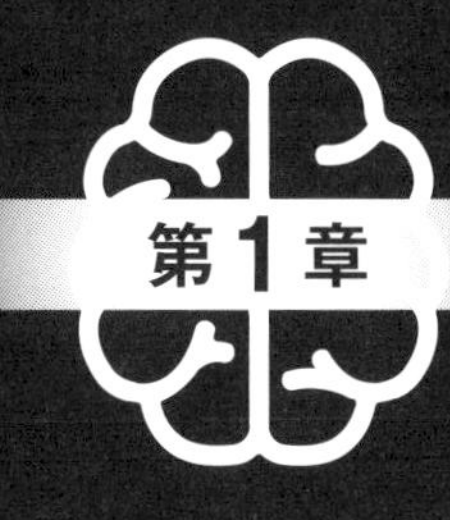

科学的に最も勉強に適した脳と体の状態とは？

勉強効果と効率を最大化させる「ポリヴェーガル理論」を知ろう

「勉強に取りかかれない……」は動物として当然

「やらなければならないことを前にして体が動かない……」

勉強にかかわらず、仕事でもこういったことはよく起こります。

これは、「フリージング現象」と呼ばれています。動物や虫で観察される現象です。

この現象は、私たち生物が進化する過程で、初期の段階につくられた背側迷走神経系が引き起こしています。

背側迷走神経系は、普段は交感神経系からの抑制を受けていて、その働きが前面に出ることはありません。

ところが、危機的な状態に直面したときに、交感神経系の抑制が外れると、背側迷走神経系の働きが前面に出て、体が動かなくなります。

これは、生物として生き残るための防衛戦略です。

突然、進化や迷走神経の話が出てきて、「そんなの勉強に集中するためには関係ないんじゃない？」と思われるかもしれません。

私たち人間は、大脳の急激な発達によって高度な思考ができるため、自分が「生物」であるということを忘れがちです。

ただ、勉強するために私たちが用意できるスペックは、間違いなく生物として生きるために備えられたものです。

「勉強に取りかかれない……」という問題が発生したら、まずは自分に備わった性能から解決策を見出さなければなりません。

勉強に取りかかれないのは**「生物としての防衛戦略で、体がフリージングしているせいだ」とわかると、性格ややる気の問題として自分を責める必要はなくなります。**

自分を責めても、責めた後に勉強を始められるわけではないので、これは解決策になりません。解決策にならないことはやめてしまいましょう。

「自分は生物だ」ということを前提にすると、過去の「学歴」や「テストの点数」などで、自分の勉強能力を評価することがなくなります。自分を責める「負の感情」を持っている自分を、第三者の目で、ある意味おもしろがって見ることができます。

自分の過去の行動や、他人から指摘されたことなどへの「とらわれ」は、生物としての仕組みが見えなくなったときに起こります。

改めて、「自分のスペック（脳と体の構造や性能）」を知り、使いこなす。これが重要です。

それでも、勉強できない人などいない――生物の仕組みを知って安心しよう

勉強ができる人とできない人――。

そんな二者択一の考え方も、本書を通じて変えていきましょう。

後ほど詳しくお話ししますが、教材を読んだり、問題を解いている時間だけ「勉強」をしていて、その他の時間は「勉強」していない、ということではありません。

眠っている間でさえ、生物として「勉強」に相当する作業を数多く行なっています。

生物は本来、生活すべての行動を「勉強」につなげる仕組みを持っています。口々学習して行動を修正していかないと、生き残っていけないからです。

勉強できない人、集中できない人、という発想は「勉強したり、集中できるラインがあり、それを乗り越えることができない人は劣っている」という構図からきています。難しい行動を選択するには闘いを挑む必要があり、それを選択しないことは逃げることだ、という考えです。

私たちが知らず知らずのうちに、**勉強に対して、挑むか逃げるか、という二者択一の姿勢で臨もうとするのは、「ストレス」の概念が強く影響**しています。

20世紀の初めから、「ストレス」という概念が、私たちの行動選択に染みつけられてきました。

勉強などの課題に対して、闘うか逃げるかを選択せよ、という概念です。

「勉強＝闘うこと」「勉強しない＝逃げること」

二者択一にするとシンプルになるのでわかりやすいのですが、これによって、「闘いを挑んで勉強ができる人」と「逃げて勉強ができない人」という発想が生まれます。シンプルでわかりやすい考え方だからといって、生物としての仕組みを充分活用しないうちから、自分は「勉強できない人」だと決めつける必要はありません。

ストレスの概念が生まれてから100年以上が経過し、生物の仕組みを理解するための研究はかなり進んでいます。

私たちの思考も「ストレス概念」より前に進めていきましょう。

ストレスで片づけない！本物の解決策「ポリヴェーガル理論」

ストレスの概念は、私たちの体は緊張とリラックスがシーソーのように切り替わっている、という考えを提供します。

「自律神経には、交感神経と副交感神経の2種類があり、それぞれが緊張とリラックスを司（つかさど）っている。

この二者は、シーソーのような関係にあって、交感神経が働いているときには副交感神経は抑制され、副交感神経が働いているときには交感神経が抑制される。
ストレスがかかると交感神経の働きが過剰に高まってしまうので、日常的に副交感神経の働きを高める習慣をつくり、ストレスを溜めないようにしたほうがいい」

こんな話を聞いたことがあると思います。

私自身も、自律神経についてこのような理解をしていましたし、医療関係者の大半は、同じような考えをベースに持っています。そこから出され続けてきた情報で、ストレスの概念が世の中に浸透したわけです。

ストレスの概念は、とても使い勝手がいいのです。

病院の検査で、症状の所見が見つからないと「ストレスを溜め過ぎていませんか？」なんて聞かれることがあります。

聞かれたほうも、**ストレスが溜まることは頑張っている証のような気分になって、ストレスの原因を積極的に見つけようとしてしまいます。**

反対に、「ストレスは人生のスパイス」とか「良いストレスは必要」という使い方もあります。

もともとは物理学の「外部からの圧力によって起こる物質のゆがみ」という意味の言葉なのですが、これが日常生活で体験する様々な心理状態の隠喩（いんゆ）としてうまく当てはまるので、なんでも言い含められてしまいます。

そんな中で、「ストレスが原因だ」「ストレスを溜めないように」と言われて、なんだかごまかされたような気分になった、という人もいるはずです。

原因がよくわからないから適当に言われているようで、イマイチ腑（ふ）に落ちない。それに、「ストレスが原因だ」と言われても、「では、どうすればいいのか」という解決策がわからない。

便利な概念を多用すると、問題解決の糸口が覆（おお）い隠されてしまいます。

このストレスの概念に変わって、より問題の解決策を見出せる考えとして、行動神経科学の研究者であるステファン・W・ポージェスによって系統立てられたのが、「ポリヴェーガル理論」です。

これが、勉強がはかどらない、という問題を解決してくれます。

勉強の効率・効果を左右する「迷走神経」って何？

ポリ（複数の）ヴェーガル（迷走神経）理論という言葉は、最近、健康やより良く生きることをテーマにした記事で、少しずつメディアで取り上げられることが増えてきました。

しかし、まだまだ聞いたことがない人のほうが多いと思います。そもそも、迷走神経という用語の知名度も低いと思います。

本書で提案する「**勉強法の基礎**」**となる機能**なので、シンプルに説明します。少しおつき合いください。

脳から内臓に、内臓から脳に情報を送る

迷走神経は、全部で12個ある脳神経のひとつです。脳神経とは、脳の外側から脳に

直接接続している神経のことです。

迷走神経は、心臓や腸などの内臓の働きを調整します。

この調整は、双方向で行なわれています。つまり、脳から内臓に情報を送るだけでなく、内臓から脳にも情報が送られています。

迷走神経の8割は、求心性線維（きゅうしんせいせんい）、つまり、内臓から脳に情報を送る線維です。最近は、「脳は命令しているだけで、その命令の判断材料である情報を送っている内臓のほうがよっぽど重要だ」というように、脳と内臓の関係に関心を寄せる人も増えています。

一部の健康リテラシーの高い人たちの間では、腸内環境を整えることが仕事のパフォーマンス向上に欠かせない、という会話が日常的に交わされるほどになりました。

この迷走神経は、脊髄（せきずい）の次に長い神経で、体中から、今起こっていることの情報を脳に伝えているので、その重要性も徐々に浸透していくでしょう。

古い迷走神経、新しい迷走神経がある

迷走神経は、進化的に「古いものと新しいもの」に分けられます。

古い迷走神経は、動くか止まるかという原始的な制御をしていました。それが、脊（せき）

椎動物から進化した硬骨魚の背骨に交感神経系が生まれたことで、交感神経によって古い迷走神経の働きは制御されるようになりました。

哺乳類に進化すると、新しい迷走神経が生まれ、これによって、交感神経系の「闘うか逃げるか」という反応が制御されて、社会的な振る舞いができるようになります。

さらに、迷走神経は顔や頭の筋肉を調整する脳幹領域に結び付きます。中耳筋（聞く力）、喉頭・咽頭筋（発声）、顔筋（表情による意思表示）が制御されるようになりました。

こうして、私たち人間のスペックが出来上がっていったのです。

神経の働きをうまく導けば「望ましい勉強」ができる

私たち人間は、通常の日常下では、最も上位の迷走神経（新しい迷走神経）系が機能していて、社会的な振る舞いができます。

人に会えば笑顔であいさつをするし、話をしている人のほうを向いてその話に集中します。

ところが、なんらかのトラブルが起こると、上位からの制御が解除されて、下位の神経系が機能します。

新しい迷走神経系の制御が解除されて交感神経系が前面に機能すると、人に会ったら緊張してその場から逃げたくなったり、会話中に話している人に反抗する、といったことが起こります。

その交感神経系の制御も解除されると、古い迷走神経系の働きが前面に出ます。人に会ったら立ちすくんで動けなくなってしまったり、会社のビルに入ることに拒絶反応が出るようになってしまいます。勉強に手がつけられないのも、この拒絶反応です。

「意思に反した行動」＝「防衛反応」

「新しい迷走神経系が機能」→「交感神経系が機能」→「古い迷走神経系が機能」

この3段階の場面は、生理学的に言うと、酸素供給量に違いがあります。

他人と友好に接しているときは、最大限の酸素を必要としながらも、最小限の消費に抑える最適な代謝システムが働いています。

「表情や声の調子、目線やしぐさにより、相手に意志や感情を伝えて操作し、それを受けた相手の動きを受けて反応する」

こんな高等な技術で消費を抑えることが、無意識のうちに行なわれているのです。

楽しく親密な時間を過ごしたときは、いろいろなことをしていたわりに、疲れを感じないでしょう。これは、最適な代謝システムの賜物(たまもの)です。

これがトラブルに見舞われて、**交感神経系が前面に出ると、たくさんの酸素を必要とし、それを大量に消費**します。これは、生物にとって負担が大きい状態です。

酸素を大量に消費する高代謝状態は、負担も大きいですが、それによって危機を乗り切ることもできます。

このシステムが一時的に働くことで、私たちは元の穏やかな生活を取り戻すことができます。

ただ、これが不適切な場面、つまり、**トラブルが起こっていない場面でも、条件が整うと作動することがあり、私たちの体に負担がかかります。**

たとえば、就寝前にベッドでスマホを見る、これは、神経が鎮静する場面で興奮する環境をつくっているということです。

このような不適切な場面で交感神経系を作動させていると、それが常態化していきます。交感神経系が過剰に働きやすく、ささいな刺激に反応して体に負担がかかる。これが、これまでストレスという言葉で説明されてきた状態です。

では、人前で立ちすくんだり、会社に入れなくなる状態はというと、酸素をあまり必要としないし、消費もしない低代謝状態です。心拍数を減らし、呼吸を浅く遅くして酸素代謝を減らします。

立ち向かえない危機に対しては、痛みを感じにくくなるように痛覚を鈍らせて、一方で胃腸の活動は高めて生命維持を確保します。

動けない代わりに何も感じないようにする。これが適応反応、防衛反応というわけです。

私たちは、日々自分の意志で行動していると思いがちですが、これらの神経の反応は自らコントロールすることができません。

「やらなければならないことが、できない」というような、自分の意志に反する行動は、これらのシステムに体が従っているだけだと考えましょう。

「勉強しなければならないのに、できない」、これも同じ状況です。

こう考えることができると、**それなら神経の働きをうまく導けば、「すんなりと望ましい行動ができるのではないか」ということがわかってきます。**

「挫折（ざせつ）・疲れ知らず」の勉強ボディをつくる3つの神経

やる気が起こらない人に「やる気を出せ」「頑張れ」と声をかけても、その効果は低いものです。

なぜなら、やる気が起こらないのは、そうしようとしているのではなく、遅い心拍や浅い呼吸に従った結果だからです。

勉強に臨むには、それなりの体づくりが必要です。

体をつくらずに勉強に臨むと、無謀（むぼう）なやり方をしてとん挫したり、疲れ果てて続かなくなってしまいます。
マラソンや登山のように、いきなり本番に臨まず、まず体づくりから取り組んでみる。一見、遠回りに思えるかもしれませんが、これが、勉強によって生涯成長するための近道です。

勉強をするときには、自律神経を司る「交感神経系」「背側迷走神経系」「腹側迷走神経系」という3つの神経活動の働きがポイントになります。

この**3つの神経系は、抑制したり、その抑制を解除することで、働きが促進するという相互関係があって、切り離して考えることはできません。**

【図A】勉強の出来具合と体調の関係図

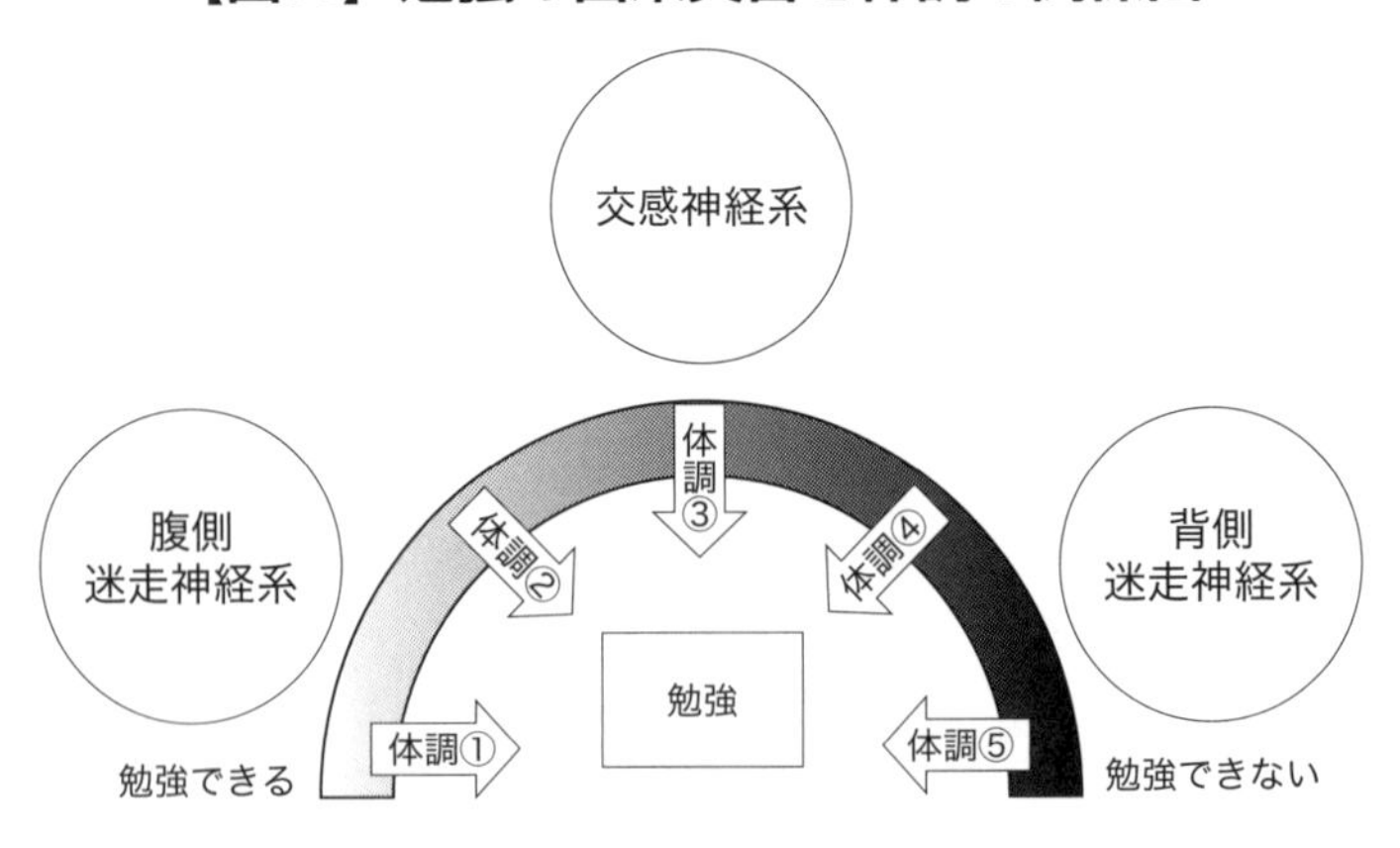

そして、この3つの神経系によってつくられる体調は、5つに分けられます。前ページの図Aは、勉強と体調の関係を表しています。まずはこの図を見てみましょう。

5つのコンディションのどれかで、あなたは勉強している

図Aは、右から背側迷走神経系、交感神経系、腹側迷走神経系という順番で並んでいます。この順番は、人間が生物として進化してきた順番になっていて、背側迷走神経系が最も古く、腹側迷走神経系が最も新しい神経です。

そして、**左から順に、右の神経活動を抑制**しています。つまり、腹側迷走神経系が交感神経系を抑制し、交感神経系が背側迷走神経系を抑制しています。

神経系の活動を抑制するというのは、あまり馴染みのない表現だと思います。簡単な図に置き換えて考えてみましょう。

次ページの図のように、3つの神経系は階層をつくっています。

上に位置する神経系の活動が、下の神経系の活動にフタをするような感じで、下の神経系の活動が前面に出ないように抑制しています。

ところが、上の神経系の活動が低下すると、抑制していたフタが外れて、下の神経系の活動が前面に出ます。

上の神経系の活動が高まれば、下の神経系の活動はまたフタをされます。

このような関係で、私たちの日々の体調がつくられています。図Bで、先ほどの図A中の5つの体調のうち「体調①」「体調③」「体調④」の3つのパターンが説明できます。

【図B】3つの神経系の抑制関係

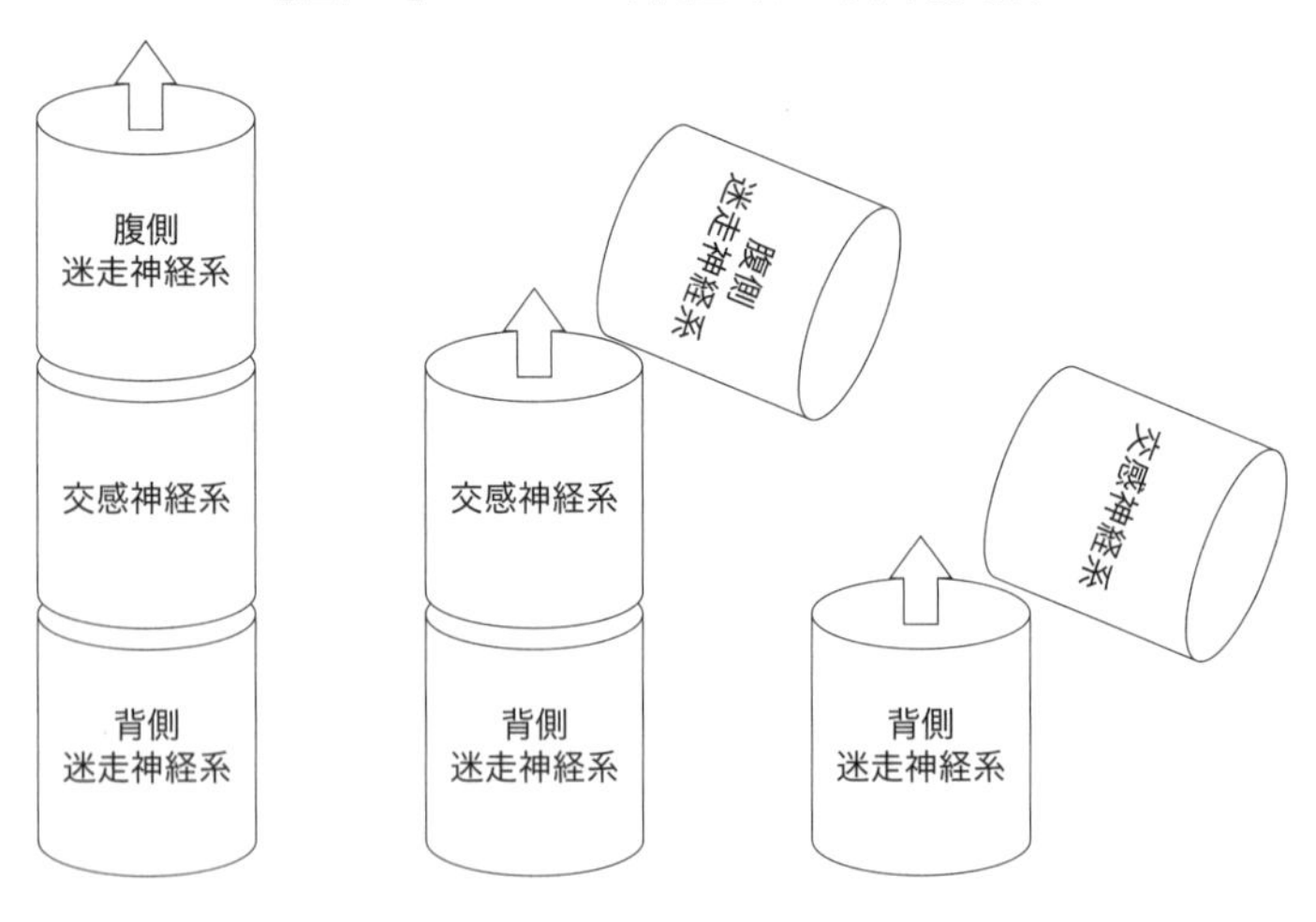

【体調①】「腹側迷走神経系が他の神経系にフタをしている場合（図Bの一番左）」

心拍や呼吸が速くも遅くもなく調整されていて、全身にムダな力が入らず、表情はニコやかで落ち着いた気分。

他人と知識を共有したり、お互いに気づいたことを教え合うように、人とのつながりが感じられていて、ともに学ぶことを楽しいと感じる。

【体調③】「腹側迷走神経系のフタが外れて、交感神経系の活動が前面に出ている場合（図Bの中央）」

心拍や呼吸が速く、肩や腰、脚に力が入っていて、目や口は渇き、手足は冷たくなり、全身には粘り気のある汗をかいている。

自分の優位性や存在価値が他人から脅かされて、緊張感が高まっている。

競争相手に負けられない焦りや不安が原動力になって、競争に勝つために、高い集中力や行動力を発揮できる状態。「困難に打ち勝つぞ」と気合が入っている。

【体調④】「交感神経系のフタが外れて、背側迷走神経系の活動が前面に出ている場合

（図Bの一番右）」

心拍や呼吸が遅くなり、全身の活動量が低下している状態。バソプレッシンというホルモンが全身状態に大きな影響を与える。思うように体を動かすことができず、何もせずにその場面と時が過ぎ去ることを待っている。自分の力では太刀打ちできない課題を前に、勉強に手が出なくなっている。「勉強」と聞くだけで体が萎縮（いしゅく）したり、頭が回らなくなるなどの拒否反応が出る。やる気が起こらず、とにかくこの状況を避けることだけを考える。

　3種類の体調パターンは、このような感じです。おそらくあなたも、これら3つの体調を経験したことがあるのではないでしょうか。

コロナによる外出自粛で表面化した「気力低下の正体」

新型コロナウイルス感染拡大を防ぐための外出自粛により、自分の体調が変化することを実際に体験した人は多いでしょう。

異常な事態のニュースを見聞きすると、自分に迫る危機状態を乗り越えるために、腹側迷走神経系の抑制が外れて交感神経系が活発になります。

気分は高揚し、攻撃的な姿勢になります。

目まぐるしく変わる情勢を注視し、その都度大きく気持ちがゆさぶられたり、自分なりの意見を身近な人にぶつけたりします。

これは、高代謝状態で体にとって負担が大きく、長期間続けることができません。

外出自粛が長引き、自分ではどうにもならない状況が続くと、さらに防衛反応が働き、交感神経系の抑制が外れて背側迷走神経系による強制シャットダウンモードに入ります。本章の冒頭でお話ししたフリージング現象です。

こうなると脳と体は**生き残るために、低代謝状態でエネルギー消費を最小限に抑えます。**

気力がわかなくなってしまったり、時間が余っているのにボーッとして何もやる気にならない、人に会わないならば、普段から注力してきた美容や身だしなみなどがどうでもよくなる、という感じに変化します。

ここまでお話ししてきた3つの体調は、3つの神経系の関係から直接的に生み出されます。

そして、私たちが勉強に臨むときの体調は、これらに加えて二次的に生み出される体調がさらに2つあります。

あなたは「信頼」「探求」「競争」「恐怖」「保護」モードのどれ？

その体調とは、図Aの「体調②」と「体調⑤」です。

【体調②】「腹側迷走神経系のフタが完全に外れるのではなく、腹側迷走神経系と交感神経系が、状況に合わせて入れ替わりながら働いている場合」

知らない知識を聞いたり、興味をそそられると、心拍や呼吸が速まり、全身の活動量が上がる。

気分は高揚して、「おもしろい！」「もっと知りたい！」と夢中になる。

一定の知識を得たら、再び心拍や呼吸のバランスがとれて、ムダな力が抜け、ほどよい活動量に調整される。

新しく得た知識をおもしろいと感じながら、自分やグループのペースに合わせて安定して勉強を継続する。安定の中に時折現れる新奇情報に心が躍る状態。

【体調⑤】「体調④と同様に背側迷走神経系の活動が前面に出ている場合」

心拍や呼吸が遅くなり、全身の活動量が低下している状態。オキシトシンというホルモンが全身状態に大きな影響を与える。

過度な安全が確保されたことで、勉強をする必要がなくなる。守られている安心感があり、何も自分を脅かすものがなく、緊張感もない。

勉強する気が起こらず、これまで続けてきたことに対しても、「どうでもいい」という投げやりな気持ちになる。

何に対しても興味がわかず、体も動かないので、活動量は著しく低下する。大して興味のないネット情報やゲームに時間を費やし、ダラダラと過ごしている状態。

私たちは、最初に説明した3つの体調（体調①③④）と、それに2つ（体調②⑤）加えた5つの体調の中で、日々の生活を送っています。

この5つの体調は、私たちの学習への考え方によって影響を受けます。ここでは、理解しやすいように、次のように名前を付けてみます。

【体調①】　信頼モード
【体調②】　探求モード
【体調③】　競争モード
【体調④】　恐怖モード
【体調⑤】　保護モード

この2つが、脳が最適に覚醒した「勉強ボディ」

ここで再び、プロローグでご紹介した覚醒レベルの図に5つの体調を当てはめると、次ページの図のようになります。

【体調③の競争モード】は、**交感神経系により覚醒度が高過ぎる状態**です。

【体調④の恐怖モード】と【体調⑤の保護モード】は、背側迷走神経系により、**覚醒度が低過ぎる状態**です。

学習環境としてこれらの体調が設定されてしまうと、勉強できなくなってしまいます。

【体調①の信頼モード】【体調②の探求モード】の体調パターンが勉強ボディです。

勉強を行なうのに「**最適な覚醒レベルの状態**」です。

【体調①】か【体調②】の状態をつくれば、**勉強効率と効果は最大**になります。

本書では、この2つの状態を自分自身でつくり上げる方法をご紹介していきます。

勉強に最適なテンション

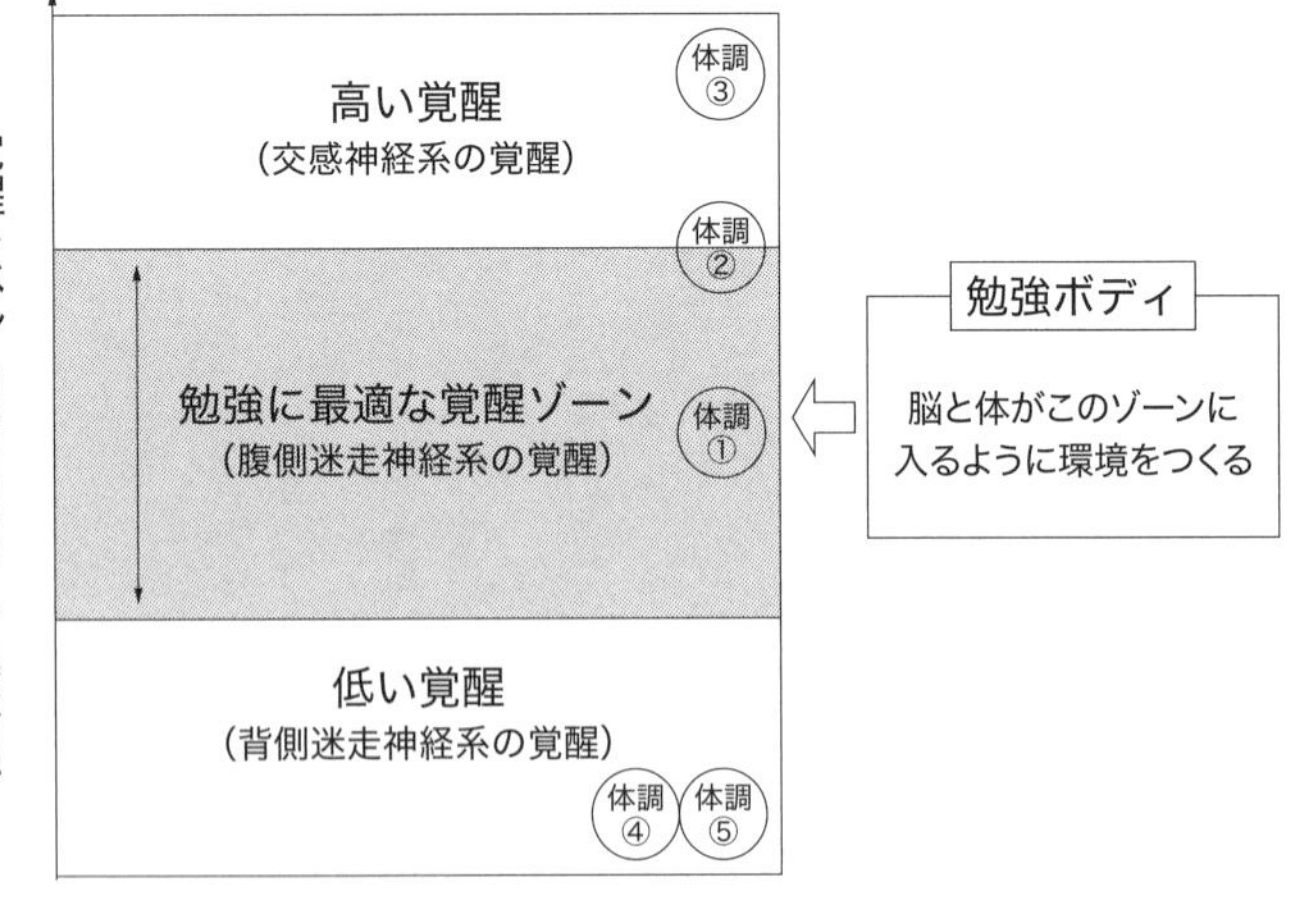

第1章ポイント

勉強ボディをつくるための基礎知識

- 勉強に取りかかれないのは、「生物としての防衛戦略」なので自分を責める必要はない！
- 迷走神経の働きは、パフォーマンス向上に欠かせない
- 勉強へのやる気の高低には、心拍数と呼吸が影響している
- 勉強時には5つの体調のどれかになっている。その内「体調①②」の2つの体調が理想的
- 人は、高代謝状態が長く続くと、シャットダウンモードの低代謝状態になる
- 脳が最適な覚醒状態のとき、勉強の効率と効果は最大になる

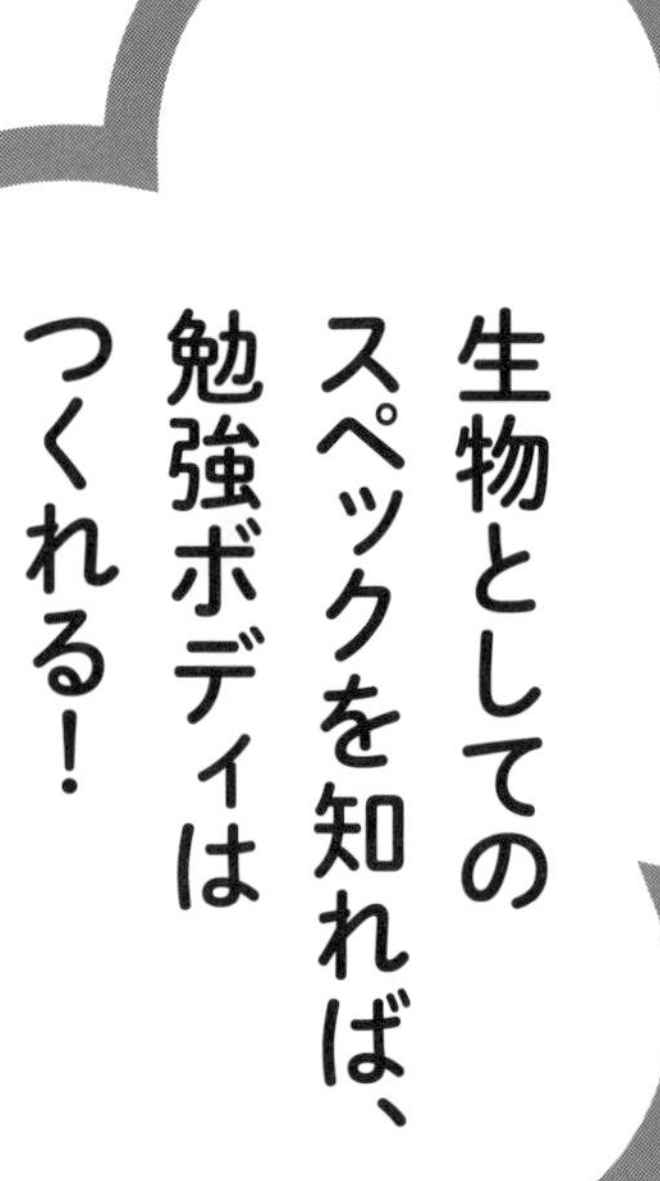
生物としての
スペックを知れば、
勉強ボディは
つくれる！

第2章

勉強前の環境設定で、結果が決まる！

理想の「達成」「集中」「始める」を
実現させるには？
【セルフトレーナーの起動】

●この章の目的

セルフトレーナーを
起動させる技術を身につける

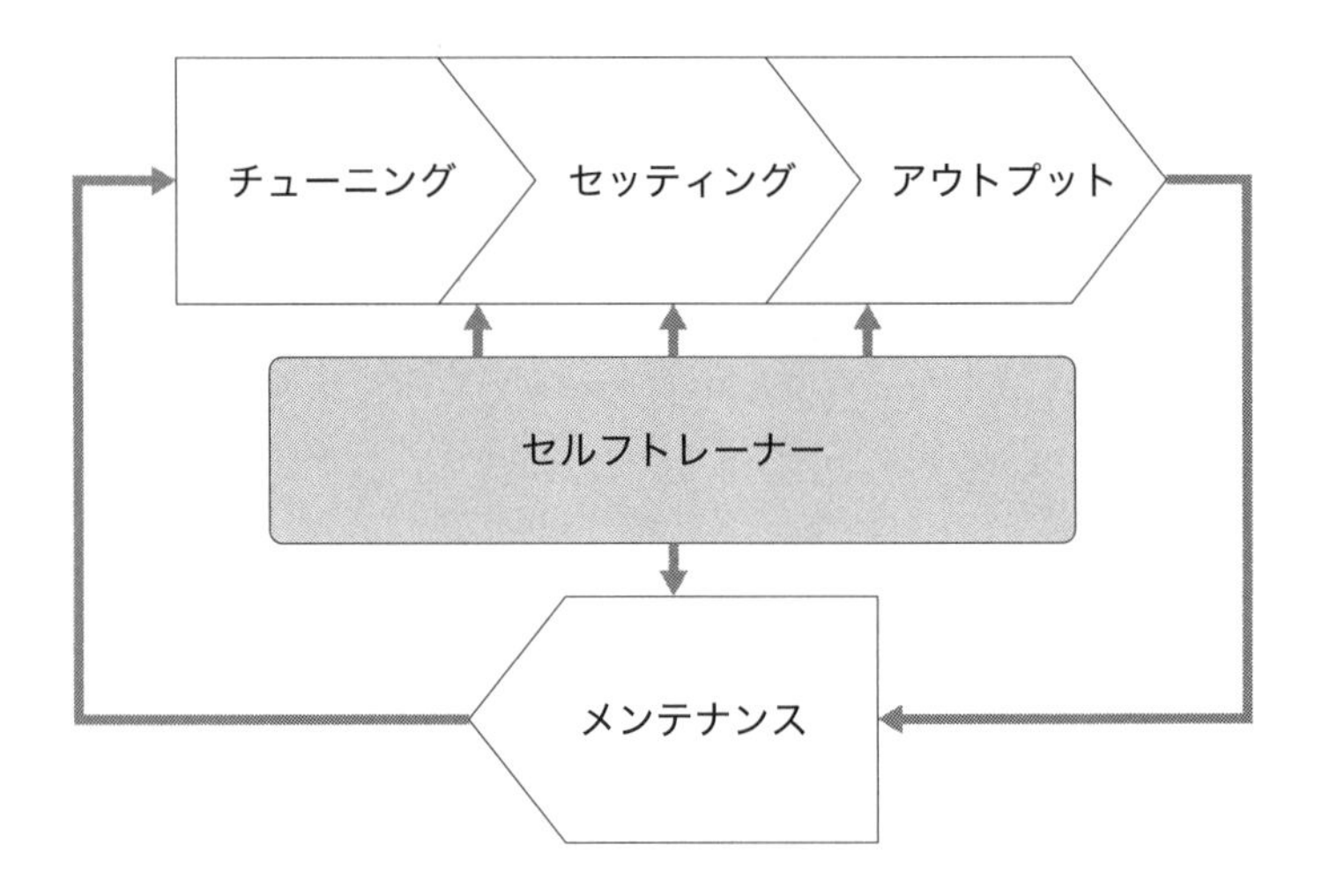

勉強における〝最適行動を選択する〟セルフトレーナーを起動させるには？

勉強ボディをつくるために、その都度、行動をアドバイスしてくれるトレーナーがいてくれれば助かります。

実は、私たちの脳には、**自分自身に対してトレーナーの役割をするセルフトレーナー機能が備わっています。**

自分のことを、第三者の目線で見る「メタ認知」という機能です。

メタとは、高い次元という意味です。この機能の力を使えば、自分の思考や行動を一段高い次元から見て、現状に気づき、最適な行動選択を導くことができます。

メタ認知を中心的に担っているのは、大脳のブロードマン10野（脳解剖学者のブロードマンが機能別に大脳を52に分類した10番目の部位）です。

勉強ボディのセルフトレーナーであるメタ認知は、意図的に起動させないと現れてくれません。

起動させるには、**自分のことを一旦離れて見直す「客体化」という過程が必要**です。

この章では、「そもそも自分がどんな勉強を理想としているのか」ということを整理しながら、客体化の過程を踏んでいきます。

この章を読み終わったころには、自分の中にセルフトレーナーが生まれているはずです。

逆から考えれば「気が乗る日が永遠に来ない」は防止できる！

勉強ボディは、待っていればひとりでに出来上がるものではありません。

「今日は気が乗らないから明日にしよう」と考えていると、何年も「気が乗る日」はやってきません。

どうすれば、自分が理想とする勉強を実現させることができるのか。万人に共通した方法があれば、私たちがこれほど勉強法に悩むこともないはずです。

自分に合った理想的な勉強法をつくるために、勉強を完了するまでの展開を逆から考えていきます。下の図を見てみましょう。

通常、勉強をするときには、まず学習環境があり、その環境の中で自分なりに勉強の始め方を決めて、勉強に集中し、そして目標を達成する。このような展開になります。

この展開を、反対から考えてみると、理想の勉強を実現するためにやるべきこ

理想の勉強を逆から考える

通常、勉強をするとき

環境
↓
始め方
↓
集中
↓
達成

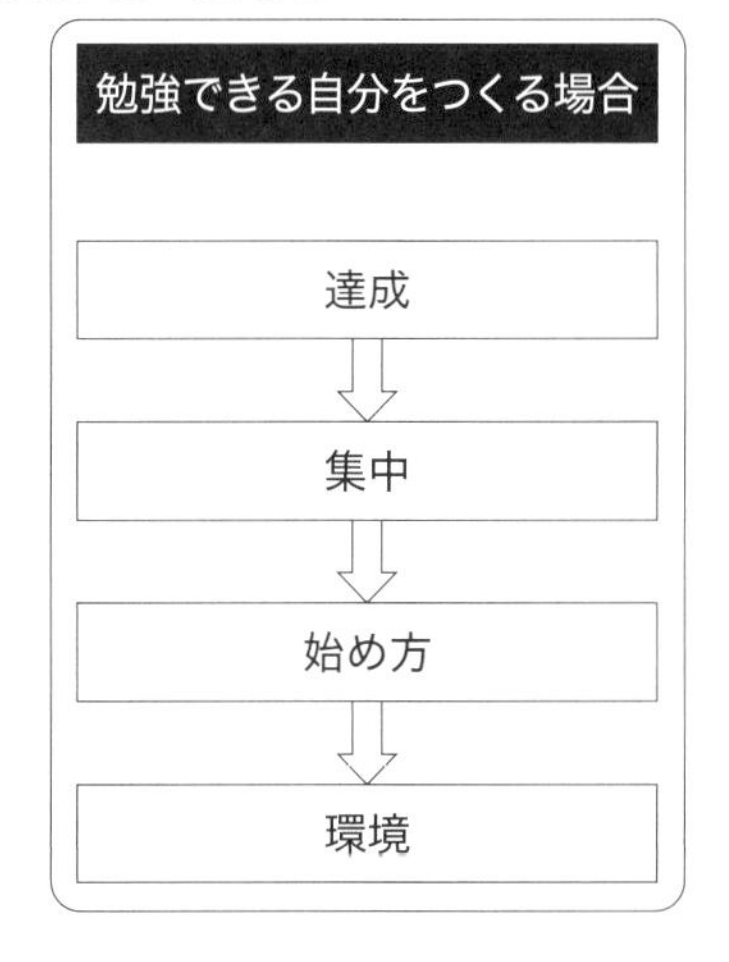

とが見えてきます。料理のレシピのように、理想の勉強のレシピを組み立てていきましょう。

「達成」「集中」「始め方」理想の勉強環境をつくる3つの質問

自分がどんなふうに勉強したいのかをイメージしましょう。次の質問に答えながら、イメージを固めていきます。

質問の選択肢の中から、自分が理想とするものにチェックをつけてください。

この質問をすることで、自分がどんな勉強環境をつくろうとしているのかを知ることができます。

【質問1】理想の「達成」とは、どんな達成か？

- □ できたことを仲間と分かち合う
- □ さらに興味がわき、次の勉強の題材が見つかる
- □ 相手に勝つ、他人から評価される
- □ 期限を過ぎたり、やり直しにならず、やるべきことを終える
- □ トラブルなく自分のペースで取り組める

では、チェックがついた項目を、そのまま5つの体調モードに割り当ててみましょう。

◉ できたことを仲間と分かち合う

同じ目的を持って勉強を進めてきた人たちと、勉強の達成を分かち合う。お互いの健闘を称えたり、お互いに今後の活躍を励まし合う。

カルチャースクールや認定資格制度に参加し、そこで出会った人たちと情報交換したり、勉強の進捗状況を共有しながら、試験に臨み、合格する。

➡ ① 信頼モードに該当

◉さらに興味がわき、次の勉強の題材が見つかる

自分なりに追い求めているテーマがあり、今回の勉強を通して、次に勉強をする題材が見つかり、さらにテーマの答えに近づいていると感じられる。

ライフワークとして日々の作業が集約されるミッションがあり、何をしていても、そのミッション達成に通じるように勉強する。

⬇②探求モードに該当

◉相手に勝つ、他人から評価される

成績ランキングでトップを獲（と）る。周囲の人より優れた考え、発言ができる。同じ分野の人たちから一目置かれる。

⬇③競争モードに該当

◉期限を過ぎたり、やり直しにならず、やるべきことを終える

やるべきこと、やらなければならないことを期限内に仕上げられる。受講しているカリキュラムに遅れることなく、学習を進めることができる。用意されたカリキュラムを予定通り消化できる。

↓④恐怖モードに該当

◉トラブルなく自分のペースで取り組める

他人の目は関係なく、自分がやりたいときにやりたいように勉強する。勉強を強要されたり、危機感をあおられることなく、自分の立場が保障されている。

↓⑤保護モードに該当

【質問2】理想の「集中」とは、どんな集中か？

- □ 自分が知らない知識を相手から得て、時間があっという間に感じられる
- □ 知りたいことが次々わいてくる
- □ 声をかけられても気づかないほど没頭する
- □ 勉強を終えるまでは別のことをしない
- □ 気が向いたときに作業が進む

◉自分が知らない知識を相手から得て、時間があっという間に感じられる

自分の知らないことを知っている人を尊敬、信頼し、その人の話に夢中になる。

一緒に学んでいるという一体感が感じられて、安心して学習できる。自分以外の考え方を知ることで、学びが深まることを楽しく感じる。

⬇①信頼モードに該当

◉知りたいことが次々わいてくる

勉強をしていくうちに、もっと知りたいことがどんどん出てくる。知れば知るほど、勉強にのめり込んでいく。

新しい知識を得ると興奮し、それをじっくり自分の考えに落とし込んでいく過程を繰り返す。

勉強をしていないときも、勉強のことを考えていたり、新しいことが浮かんでメモをとる。

⬇②探求モードに該当

◉声をかけられても気づかないほど没頭する

一気に集中して課題に没頭する。周囲のことが気にならなくなり、自分だけの世界に入る。一度気分が乗ったら、食欲や眠気を感じず、いつまでも勉強できる。

➡③競争モードに該当

◉勉強を終えるまでは別のことをしない

スマホやテレビ、ゲームなど、勉強を妨げる誘惑に打ち勝って、勉強を終えるまで勉強以外のことに手を出さずにいられる。

やりたいことより勉強を優先することができる。勉強の後の娯楽を楽しみに、課題を素早く終わらせることができる。

➡④恐怖モードに該当

◉気が向いたときに作業が進む

やりたいことを我慢したり、無理に勉強を頑張ることなく、気が向いたときに勉強する。自分の能力に見合った課題を確実にこなす。

⬇ ⑤保護モードに該当

【質問3】理想の「始め方」とは、どんな始め方か？

- □同じ目的の仲間と誘い合う、励まし合う
- □知らないこと、知りたいことがあったらすぐに調べる
- □成功した人の話を聞いたり、勉強している人の様子を見て刺激を受ける
- □課題を出されたり、期限をせかされる
- □カフェや図書館など勉強している人がいる場所に身を置く

◉同じ目的の仲間と誘い合う、励まし合う

勉強するときには他人を誘って一緒に勉強する。自分がイマイチやる気になれないときでも、人から誘われて勉強を始めることができる。頑張っている仲間ができると、自然にやる気になる。

⬇ ①信頼モードに該当

◉ 知らないこと、知りたいことがあったらすぐに調べる

知らないこと、人から聞かれてうまく説明できなかったことをすぐに調べ、単に情報を得るだけではなく、その中から自分の興味がわくことを見出して学習する。

自分が追い求めるテーマがあり、勉強に終わりがないので、「今取り組んでいる勉強」が常にある。

⬇ ② 探求モードに該当

◉ 成功した人の話を聞いたり、勉強している人の様子を見て刺激を受ける

ビジネスの成功者や他人が努力している話を聞くと触発されて、その直後にはすぐに勉強を始める。自分が休んでいるときでも、勉強をしている人がいると思うと、やる気になる。

⬇ ③ 競争モードに該当

◉ 課題を出されたり、期限をせかされる

期限を設けられたり、宿題、課題を出されると、勉強を始められる。勉強の後に、ご褒美として楽しみなことを用意するとやる気になる。

⬇ ④恐怖モードに該当

◉カフェや図書館など勉強している人がいる場所に身を置く

他人が勉強している環境に行くと、自分も勉強している気分になって、やる気が出る。教材を買ったり、カルチャースクールに申し込むと安心する。

⬇ ⑤保護モードに該当

「正しくやる」より「どれに反応するか」が重要

3つの質問を、それぞれ5つの体調に割り当てられたら、勉強の展開に当てはめてみましょう。

たとえば、達成は①、集中は②、始め方は①になったのならば「①と②の体調になる環境をつくるべきだ」ということがわかります。

ここで気づいていただきたいのは、**自分が「正しい勉強をしなければならない」と思っていないか**、ということです。

勉強にしろ、スポーツにしろ、その当事者になっているときは、現状を観察せずに「正しいことをしなければならない」と頭だけで考えがちです。

・勉強は、長時間、席に座って集中しなければならない
・勉強の合間に別のことをしてはならない
・しゃべってはいけない
・期限を超過してはいけない

3つの質問で「理想の勉強環境」がわかる

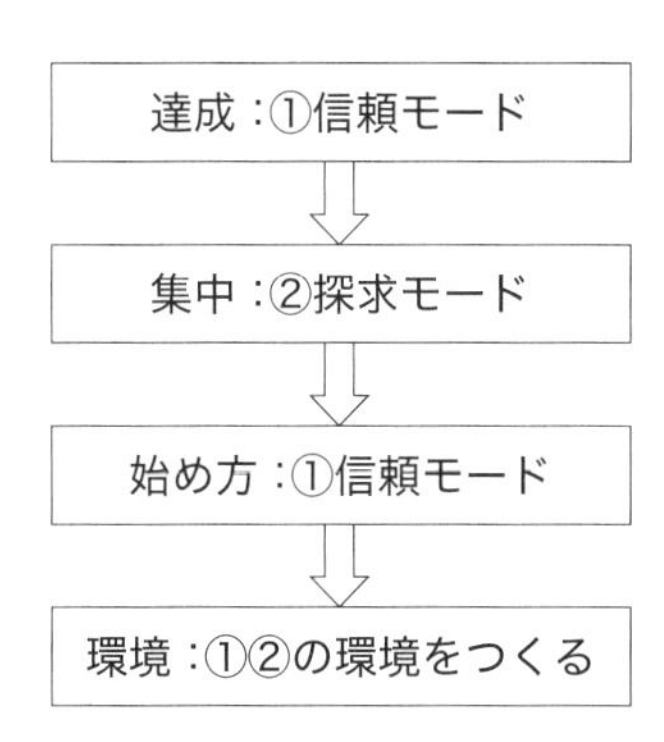

……など、潜在的にこういった考えがあると、「今、どうであるか（どういう状態か）」に意識を向けず、「正しくやる」ことが目的になってしまいます。

「理想の勉強とは?」と改めて問われて回答を選択してみると、「正しい勉強」「あるべき自分の姿」を選択しそうになったときに、**「ちょっと待てよ? そうでもないかな」と、自分を外から見るセルフトレーナーが顔を出します。**

勉強ボディに必要なのは、「今、どうであるか」をモニターして、最適ゾーンにチューニングすることです。

世間一般の理想や過去の教育経験は一旦捨てて、「自分がどの環境に良い反応をするのか」を見つけてみましょう。

ニューロセプションに働きかける——環境づくりに力を注ぐべき理由

なぜ、理想をかなえるために、環境づくりに注力するべきなのか——。

それを知るために、「私たちの体調が自動的に調整される仕組み」を知っておきましょう。

本書で中心概念としても用いているポリヴェーガル理論では、先ほどの5つのコンディションを切り替えるスイッチを「ニューロセプション」と呼んでいます。

自分が置かれている環境から、「安全」や「危険」を察知して、それにふさわしい神経回路にスイッチを入れる作用機序（仕組み）が、ニューロセプションです。

脳に持ち込まれた情報を体への指令につなぐ無意識で反射的な機能で、情報の行き来に使われるのが、腹側迷走神経系、交感神経系、背側迷走神経系ということです。

ニューロセプションは、脳内の複数の部位で担われています。前頭葉の一次運動野、側頭葉の紡錘状回、上側頭溝、大脳辺縁系の扁桃体、側頭葉の奥にある島皮質。

これらが、体から吸い上げられてくる感覚情報を基に腹側迷走神経系、交感神経系、背側迷走神経系を介してトップダウンで体を制御しています。

つまり、私たちは、この**トップダウンの命令によって行動させられています。**

ニューロセプション、腹側迷走神経系、交感神経系、背側迷走神経系、体の各器官は、自分の意志で操作することはできません（下の図の太線で囲まれている5つの部分）。「勉強を始めるからテンションを上げよう」と思い、「むー」と力を入れたりぶつぶつ念じたりしてもテンションは上がりません。

ではあなたは、テンションを上げようと思ったときに何をしますか？

おそらくノリのいいテンポの速い音楽をかけたり、感動したり鳥肌が立つような動画を観ようとする人が多いと思います。

この行為は、環境をつくって、自分のニューロセプションに働きかけている、ということです。

この「なんとなくそうした」ことの要素

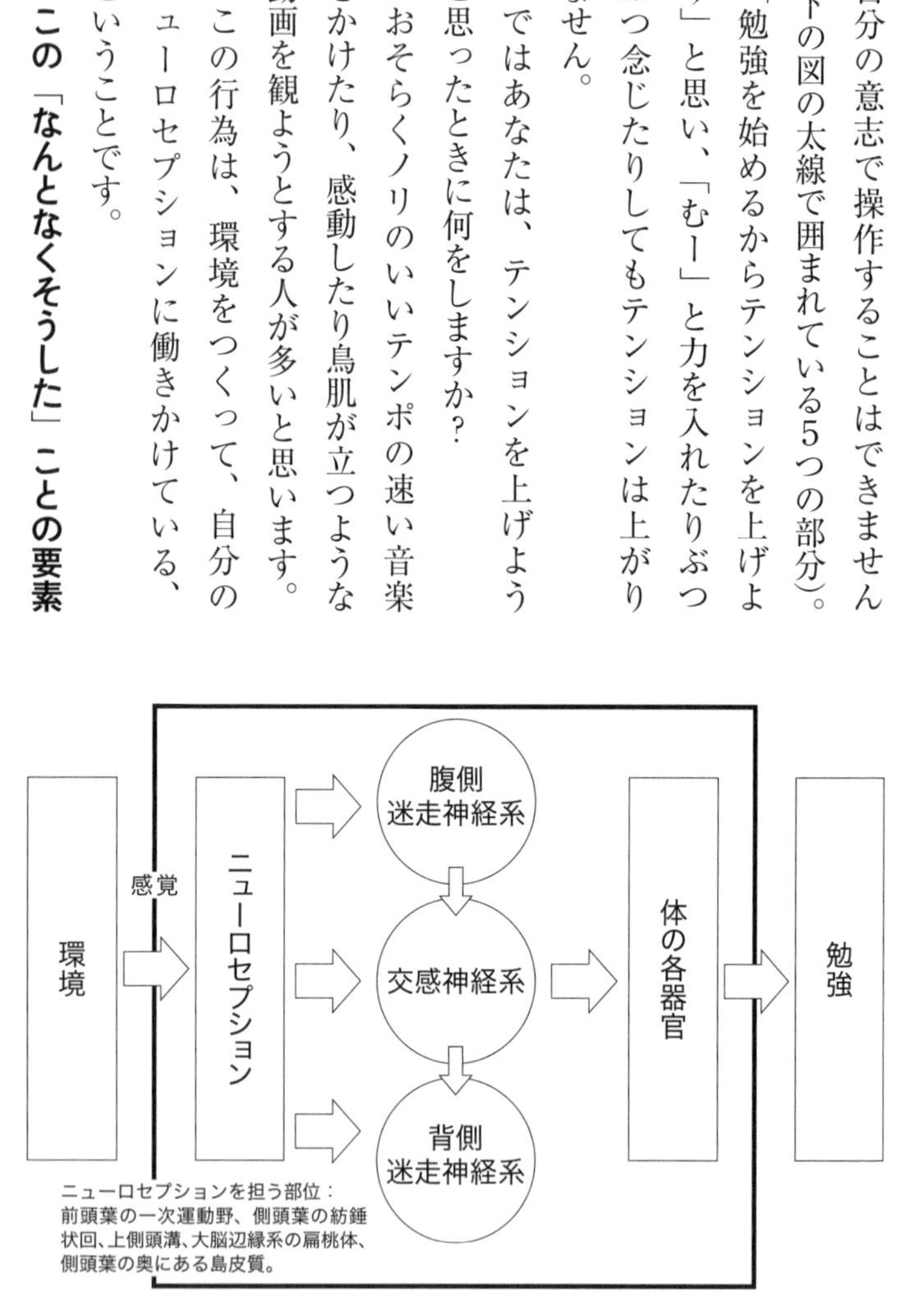

を分析し、適切な場面で意図を持って行なわせるのが、セルフトレーナーの役割です。

パフォーマンスを高めるのは“勉強法や記憶術”より「環境設定」

勉強は、始めてさえしまえばはかどる、という人は多いと思います。

「勉強しなきゃ」と思ったら、勉強法や記憶術を知ることに意識が向きがちですが、私たちが勉強をしていく上で最も注力すべきことは、環境設定です。**環境設定を間違えれば、ニューロセプションを介して望まないコンディションになります。**

これでは、どんな勉強法を用いてもパフォーマンスが上がりません。

私たちが勉強に臨むときの体調は、私たち自身が用意した環境によって決まります。ということは、環境さえうまくつくることができれば、望ましい体調をつくることができ、理想の勉強をかなえることができるわけです。

セルフトレーナーが環境をつくれば、当事者の自分はすんなり勉強に集中します。

理想と現実の環境ギャップを埋める「YES／NOチャート」

ここまでで、自分が理想とする勉強については整理できたと思います。では現実は、自分に対してどんな学習環境を用意しているでしょうか。

「YES／NOチャート」（次ページ）を使って、普段から自分に提供している学習環境を振り返ってみましょう。

このYES／NOチャートでは、普段自分が「何を原動力に勉強をしているのか」がわかります。

四角のマスで問いかけているのがセルフトレーナーで、YES／NOの回答をしているのが当事者のあなた（**自分**）です。

ただ勉強するのではなく試験がある認定資格講座を受けたり、勉強できたときにご

YES ／ NO チャート

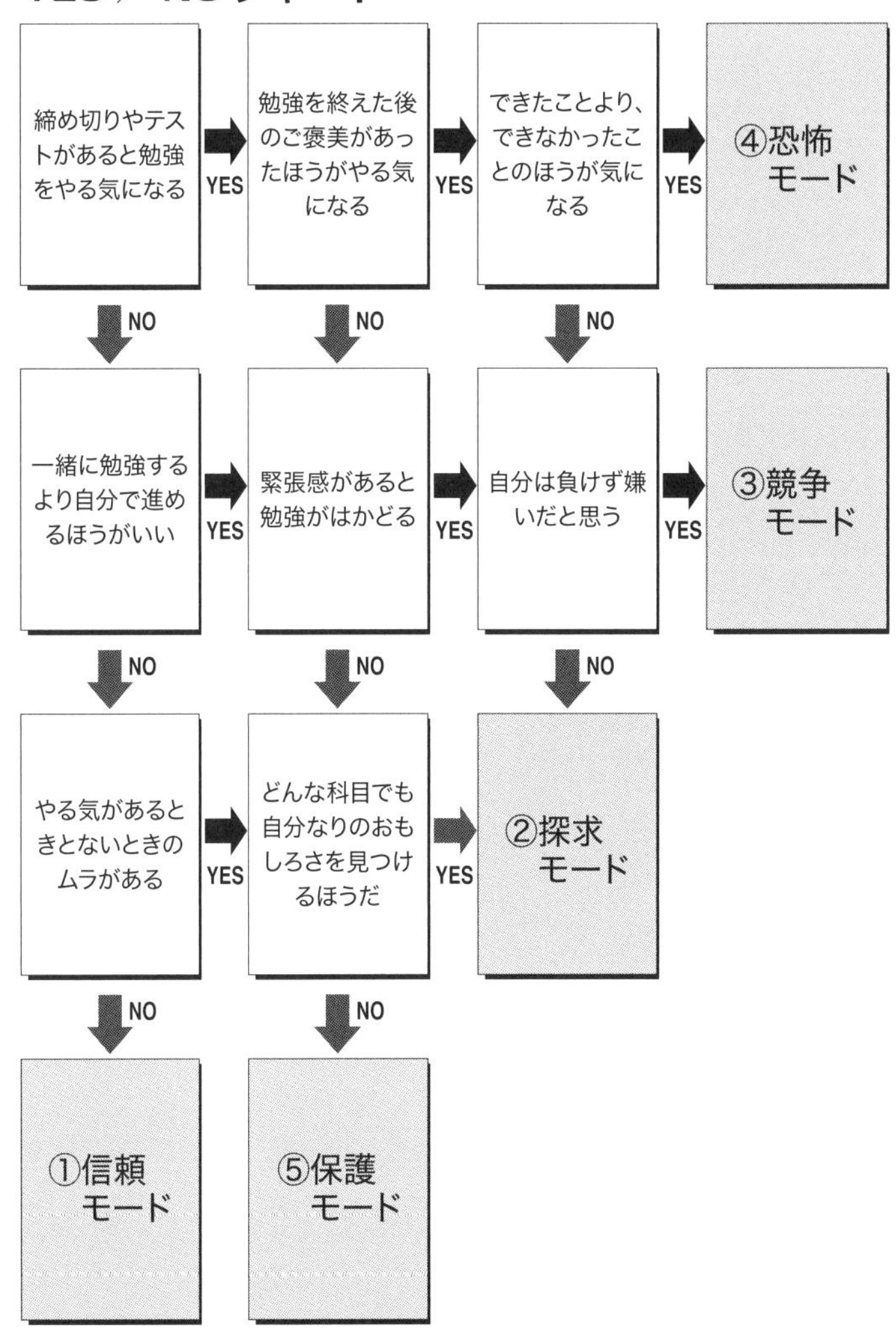
締め切りやテストがあると勉強をやる気になる
YES
勉強を終えた後のご褒美があったほうがやる気になる
YES
できたことより、できなかったことのほうが気になる
YES
④恐怖モード
NO
NO
NO
一緒に勉強するより自分で進めるほうがいい
YES
緊張感があると勉強がはかどる
YES
自分は負けず嫌いだと思う
YES
③競争モード
NO
NO
NO
やる気があるときとないときのムラがある
YES
どんな科目でも自分なりのおもしろさを見つけるほうだ
YES
②探求モード
NO
NO
①信頼モード
⑤保護モード

褒美としてスイーツを食べたり、動画を観たり……。

「私はそのほうがやる気になるから」と、自分のことを客観視して意識的に環境をつくっている人は、自分の中でセルフトレーナーと会話をしている人です。

この会話がない人は、無意識で環境をつくっていたり、学生時代につくられた勉強とはそういうものだ、という固定された概念に従って環境をつくっている場合が多いのです。

このチャートでは、5つの体調のいずれかに行き着きます。まずは、チャートの結果を整理してみましょう。

◎ 前向きに勉強できる動機は2つ

前向きに勉強するには、「**①信頼と②探求が動機**」になっている必要があります。

①信頼モードは、腹側迷走神経系が交感神経系を抑制し、自分の勉強していることが、「社会とつながっていることを自覚」できたり、「自分の得た知識が誰かの役に立つと感じられる」状態です。**勉強する意義を自然に見出すことができます。**

②探求モードは、腹側迷走神経系と交感神経系の働きがバランスよく入れ替わります。**知らない情報に出会ったことに驚き、気分が高揚（こうよう）して夢中で学習し、その知識が自分のものになると自分の言動に変化が生まれて成長していることが実感できる。**

これを繰り返しながら、学習を深めていくことができます。

③競争モードでも、勉強に対してやる気になりますが、これは短期的な作用で、長続きはしません。

トラブルを打開するためには必要な力ではありますが、**「相手より遅れているのではないか」という恐れや不安を抱えます。**

体がこの状態になり続けていると、不適切な場面でも交感神経系が働くようになります。夜になっても気分が高揚して眠れなかったり、相手の言動にイラ立つことが多くなります。

学生時代には、テストの成績順位が上がることがモチベーションになっていたかもしれません。

受験のような短期的な場面ならば、競争で大きな力を発揮することもできますが、社会人の勉強は単に試験に合格すれば終わるものではありません。

得た知識を仕事や人生に反映していかなければならないからです。

その点で、学生時代の勉強への原動力を見直さなければ、自分の心肺機能に負担をかけ続けることになってしまいます。

また、勉強になかなか手がつけられないでいるものの、一旦やり始めると、他の仕事や家事、食事や身なりを整える整容など、基本的な生活を維持する行為もせずに、過度に集中する、という場合も、体は③競争モードと同様の状態になっています。

後ほど詳しくお話ししますが、体の調整には、ホメオスタシスという仕組みが働いています。

均一な状態を維持するために、過剰に動くことが続くと、その反動で過剰に動かなくなります。

その後には、また過剰に動く、という感じで繰り返すので、勉強への集中は一過性でムラがあり、長続きしません。

過剰な体調に対して、さらに過剰な体調をつくって応じるので、体には大きな負担がかかります。

体への負担を減らし、安定して良いパフォーマンスを発揮するには、ホメオスタシスで調整される振り幅を小さくする必要があるのです。

④恐怖モードに該当した人は、学校教育でのエピソードが強く影響している可能性があります。

「宿題を忘れたら立たされる」「テストに合格できなかったら補習を受ける」というように、**自分にとってなんらかの不利益がもたらされるのを回避する行動指針が築き上げられてしまっています。**

そうなると、何をするにも、ご褒美と罰を設けようと発想してしまいます。

勉強するために、好きなスイーツを我慢する。勉強したらご褒美を食べられる。

こんな感じで、気づかないうちに、自分に対してアメとムチを与える設定をしていませんか？

罰が怖くて行動する設定なので、当然、体は萎縮し、低代謝状態になります。それを無理やり動かしたところで、良いパフォーマンスは発揮されません。

また、自分で設定した罰なので、そのルールを簡単に破ってしまうこともあり、それが罪悪感を生み出したり、自分を否定する材料になることもあります。

社会人は、誰かに褒められたり、しかられないために勉強するわけではありません。自分の学習が他人にとって「どう役に立つのか」を見つけて、原動力の変換をしておきましょう。

⑤保護モードに当てはまった人は、これまで安全が保障されてきた環境にいて、交感神経系が働きにくく、低代謝状態になっています。

行動の指標が「リスクを避けること」になっているかもしれません。

「自分の意見を言って面倒なことになるなら言わないでおく」

「有料の教材を買ってもやらないかもしれないから無料のものを探す」

という感じで、リスクを避けていたら勉強が進まず何年も経ってしまった、ということがあるのではないでしょうか。

安全が確保され過ぎると、生物として活動するエネルギーが生まれません。エネルギーを生み出すために、大きなリスクを負わない範囲で、安全を壊してみましょう。

このYES／NOチャートで割り当てられた体調と、理想の勉強イメージ（73ページ図）を実現するために用意すべき体調とを、比較してみましょう。

「リモートワークで時間ができたのに、勉強できません……」

体調と理想の勉強が同じモードになった人は、理想と現実にギャップがないので、次の章のチューニングで、その体調モードをつくるための小さな習慣をさっそく実行してみてください。

理想と現実が違うモードになった人もいると思います。

たとえば、②探求する勉強が理想だったはずなのに、チャートでは④恐怖になった、といった感じです。

この場合は、知らず知らずのうちに「勉強とはこういうもの」というイメージがつくられていて、それが理想の勉強を妨げる原因になっています。

ここで、実際の例と照らし合わせてみます。

２０２０年4月の緊急事態宣言の発令で、半強制的に自宅でリモートワークをすることになった、という人は多いと思います。

Aさんも、突然リモートワークをすることになりました。

実際やってみると、業務上の支障はほぼ皆無で、感覚的には通勤にかかっていた往復2時間の時間が、まるまる宙に浮きました。

そこで、「この2時間を活用すれば滞（とどこお）っていた勉強ができる」と思っていたそうです。

ところが実際は、何をするでもなくダラダラとして、時間だけが過ぎていきました。

「**通勤をしていた頃は、『時間さえあれば勉強できるのに』と思っていたのに、『今だからこそ勉強できる』というマインドで動き出せず、正直ショックを受けました**」

とお話しされました。

Aさんは、もともと、勉強を「しなきゃいけないこと」と位置付けていました。

電車で英会話の広告を見ては、「こうしている（通勤で2時間何もしていない）時間もみんな有効に使っているんだ」と漠然とした焦りを感じていたそうです。

これは、③の競争モードを原動力とする設定です。

Aさんの体は高代謝状態になり、通勤のように行動が制限されると、焦り、イラ立ってきます。

仕事では、過活動になることで局面を乗り切ることができるものの、ホメオスタシスによる反動で帰宅後には何もしなくなってしまうのを、「時間がないからだ」としてきました。

ところが、通勤がなくなって時間ができると、「時間がない」というつじつま合わせが効かなくなりました。

代わりに、周囲から仕事をせかされたり、トラブルが降りかかることがない、安全が保障されました。

体は、⑤保護モードの状態になったのです。

これでは、体は動かなくなります。

「時間がないから勉強ができない」というのは脳がこしらえたつじつま合わせであり、実際には、体が競争から保護モードに切り替わったことが、勉強できない原因だったのですが、Ａさんは「行動しない自分にショックを受けてしまった」というわけです。

私たちの脳は、体の状態に対して何らかの理由を付けてつじつまを合わせます。

体の状態が観察されていないと、うまくいかない原因を心理的な問題や性格に求めてしまいがちです。

脳は勝手に理由付けをするので、それを防ぐことはできません。

しかし、今の自分の体がどのモードになっているかを観察することができれば、余分な詮索(せんさく)はせずに、すんなりと対策を立てられます。

【実験結果】「セルフトレーナーが勉強の成績を決める」

自分で自分に学習環境を提供するのが、セルフトレーナーの役割です。勉強に取りかかるときには、自分自身にこう声をかけてみましょう。

「今どのモード？」

この言葉で、認知はメタ化されてセルフトレーナーが顔を出します。

そして、勉強ボディをつくるために、**「どれを使う？」**と自分に声をかけましょう。

この後の第3章からは、「どれを使う？」の部分について「勉強ボディをつくるために使える小さな習慣や課題設定法」をご紹介します。

その中からレシピに合わせて材料を選ぶように、小さな習慣や課題設定を選んでみましょう。

セルフトレーナーが勉強の成績を左右することを示す実験があります。

実験参加者にテストを受けてもらい、そのテスト中に「頭の中でつぶやいていたことを書き出してもらう」というものです。

この実験で、テストの成績が良かった人たちと成績が悪かった人たちの、つぶやきの特徴が見つかりました。

テストの成績が悪かった人たちは、「ダメだ」「どうしよう」「できない」などとつぶやいていました。今まさに、難問に取り組んでいる当事者のつぶやきです。

一方で、テストの成績が良かった人たちは、こんなことをつぶやいていました。

「どうやろうかな」

「この問題は何かに似てないか」

「なんか○○みたいだな」

テストの当事者というよりは、一歩引いて当事者にささやく人のセリフのようです。

つまり、テストの成績が良かった人たちはテスト中にメタ認知を働かせていたのです。

これが、難問にのまれて心拍を高めたり、呼吸を止めてしまうのを避けるコツなのです。ここから先は、勉強を始めるときに、

「さてやるか」

ではなく、

「今どのモード？」

「どれを使う？」

とつぶやいてみましょう。

第2章ポイント

セルフトレーナーを起動させるには？

- セルフトレーナーが、勉強に最適な行動を導いてくれる
- セルフトレーナー起動のキーワードは「客体化」
- 勉強を完了するまでの流れを逆から考える
- 理想の勉強環境は「3つの質問」に答えると明確になる
- 勉強常識より現状観察を重視すると、最適ゾーンに入れる
- ニューロセプションにうまく働きかけると、すんなり勉強に集中できる
- 「YES／NOチャート」で、理想と現実のギャップがわかる
- 脳はつじつまを合わせるために「勉強できない理由」を探す
- 勉強に取りかかるときには「今、どのモード？」と自分に声をかける

セルフトレーナーが
最適な行動を
選択できるように
あなたを導いてくれる

第3章

すぐに、何度も集中できる人の小さな習慣

少ない労力で勉強するための「体を使った」トレーニング【チューニング】

●この章の目的

チューニングの技術を身につける

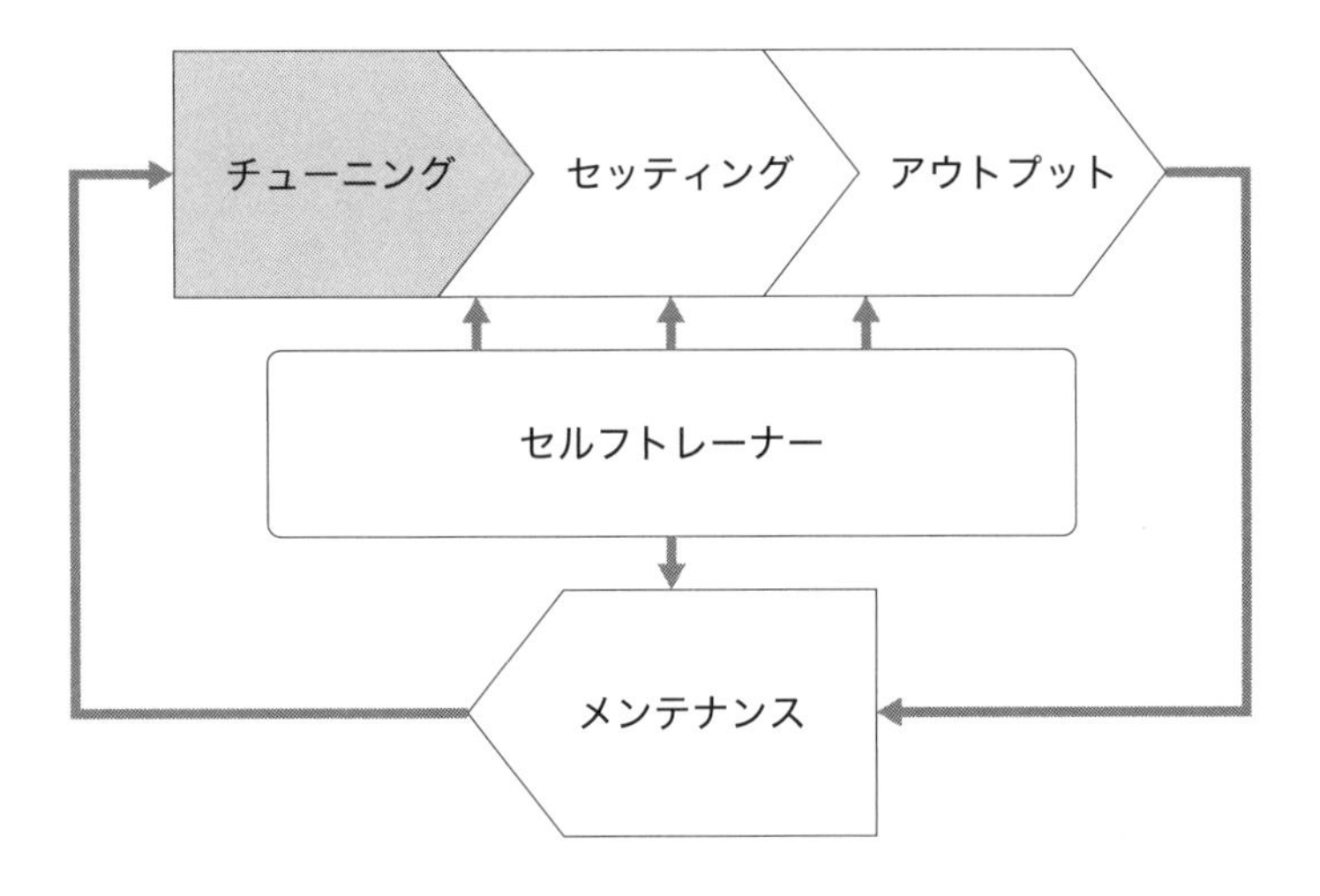

集中状態を何度も再現する「からだモニター」とは？

今の体調を客観視し、それに少し手を加えれば、勉強ボディはつくられます。下の図を見てください。

これは、体の状態を観察することの意義を図式化したものです。

横軸は、勉強に対して体が動く状態から動かない状態までを表し、5つの体調がそれぞれ配置されています。

縦軸は、勉強をするためにかかる労力です。

からだモニターの意義

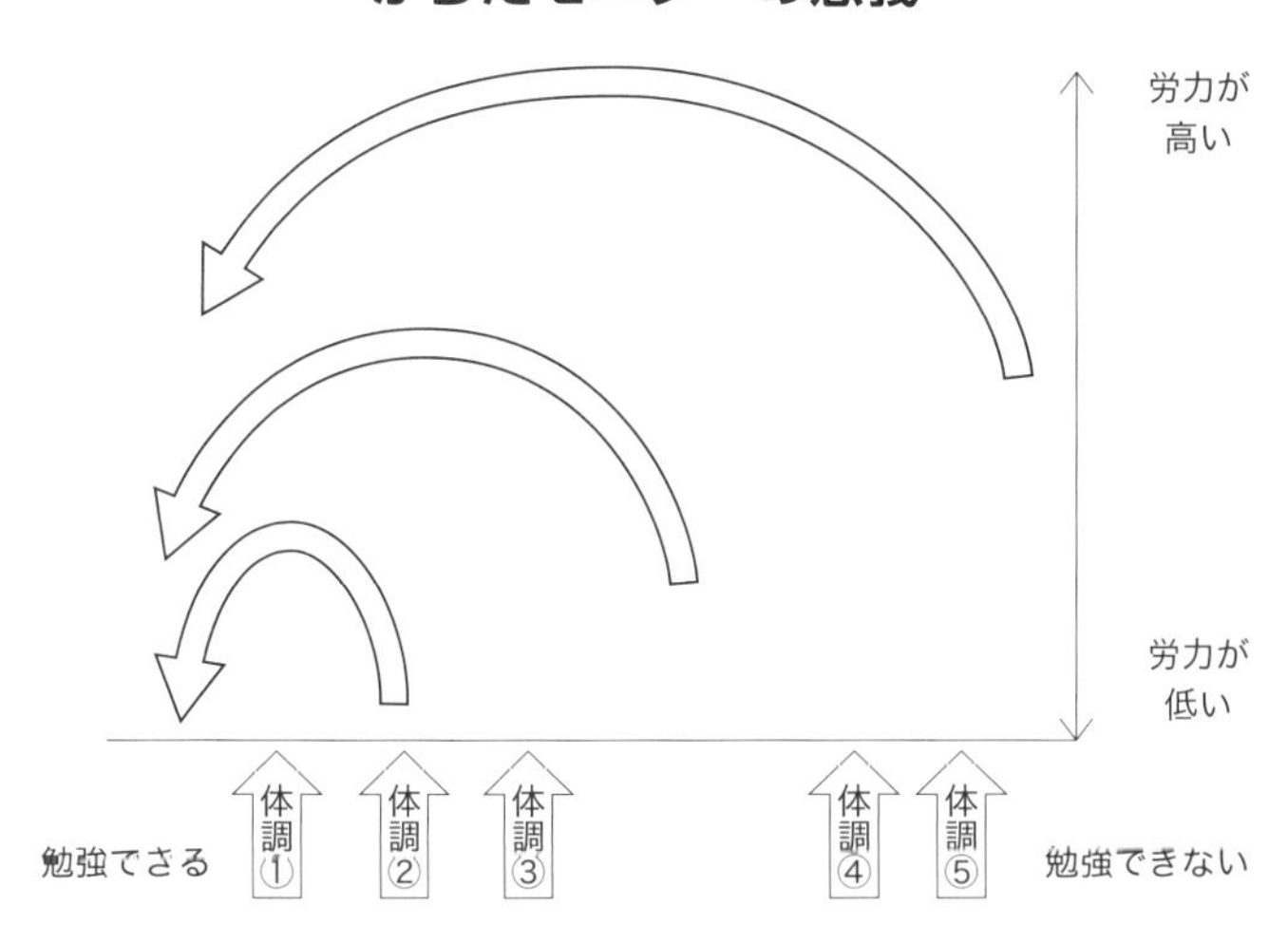

勉強ができているうちから対処することができれば、少ない労力で勉強を継続することができます。

ところが、一旦勉強ができない状態になってしまうと、再び勉強を始めるのが難しくなるのです。

体が動かなくなってしまってから再び体を動かすには、多くの労力を要します。

「勉強に手がつけられない」という悩みを持つ人は、実際に勉強から遠のいてしまってから問題に気づく傾向があります。

それに対して、常になんらかの勉強をし続けている人には、**はかどっているときから、勉強の仕方を複数用意している傾向があります。**

集まって勉強する、自分ひとりで勉強する、カフェで、自宅で、パソコンで、ノートに手書きで、という感じで、学習環境をコロコロと変えています。

これは、体の状態をモニターし、今の自分に欠けている要素を環境設定で補っているのです。

つまり、勉強ボディへのチューニングです。

「勉強を始めさえすれば没頭できる」という考えでは、偶然勉強ができるのを待たなくてはなりません。これでは、集中した状態を再現できません。

たとえば、勉強すると肩や背中が固くなった。音に敏感になって周囲の音がうるさく感じた。

「これは、交感神経系が働き過ぎているサインだから、今、勉強している内容を友達に話してみよう」と環境を設定する。

すると、話をしているうちに、相手の表情を読んだり、わかりやすく話そうと文節を区切ることで呼吸が安定し、腹側迷走神経系が働いて交感神経系が抑制される。

他人の反応を介して、勉強ボディがつくられて自然にやる気になる。

このように、体の状態を把握して適宜行動を変えれば、少ない労力で勉強できる体を維持することができます。

3つの感覚で"安定したパフォーマンスを実現"する

勉強をする主体は脳ですが、その脳の働きを決める情報は、体から送られています。図で、私たちの脳がどんな情報を受け取っているのかを、おおまかに整理してみましょう（次ページ図）。

体に起こった変化を脳に伝える感覚の種類は、次の3つに分けられます。

【外受容感覚】

まず思い浮かぶのは、いわゆる五感を形成する感覚である視覚・聴覚・触覚・嗅覚（きゅうかく）・味覚です。これらは、普段から自然に感覚を意識することができます。

視覚と聴覚は、遠く離れた場所からでも情報を受け取ります。味覚・嗅覚は、物質の化学的な接触によって生じます。触覚は、物体の機械的な接触によって生じます。

これらはすべて、体の外側からの情報を受け取っているため、「外受容感覚」と呼ばれます。

【固有感覚】

次に、体に意識を向けるとわかるのが「固有感覚」です。

関節を動かす筋肉から送られる情報で、体が動いているのか止まっているのか、どんな姿勢をしているのかがわかります。

自分の体を動かしたことで感覚を生じさせることができ、体の外の世界とは独立した感覚情報です。

固有感覚は、普段の生活で意識することは少ないですが、関節の構造や筋肉がどの

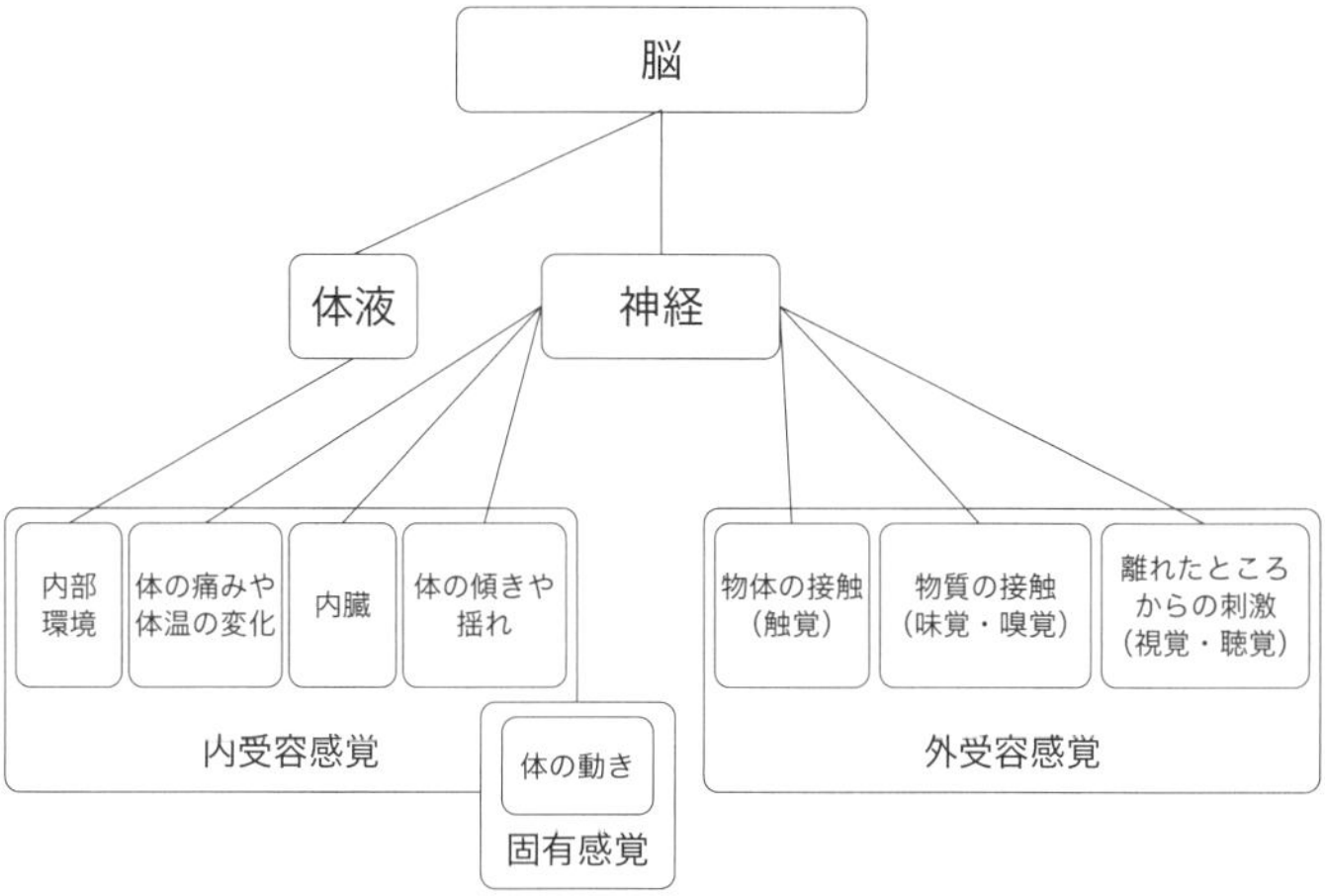

ようについているのかを知ると、その動きを鮮明に意識することができるようになります。

【内受容感覚】

3つ目は、さらに意識することが少ない「体の内部の感覚」です。

心臓の鼓動（こどう）、動脈の伸縮、肺のふくらみや胃の圧迫感などの感覚です。これらは、「内受容感覚」と呼ばれます。

固有感覚も内受容感覚に含んで考えることもあります。内受容感覚は、それ自体は普段意識することがありませんが、私たちのパフォーマンスに大きな影響を与えます。

勉強中にお腹が痛くなってちっとも集中できない。発表するときに、心臓がドキドキして頭が真っ白になってしまう。

こんな体験は、内受容感覚が脳の働きを左右することを表す典型例と言えるでしょう。

体に起こった反応は、末梢神経（まっしょうしんけい）を介して脳に送られます。

内受容感覚を脳に伝えるのに大きく関与しているのが、迷走神経を代表とした副交感神経系と交感神経系からなる自律神経です。

これら3つの感覚は、勉強ボディへのチューニングに利用できます。

その感覚の存在や仕組みを知り、意識を向けると、感覚は増幅したり細分化します。

つまり、**感覚を受け取るトレーニング**をすることができます。

感覚が脳の働きを支えているので、感覚を詳細に受け取ることができれば、安定したパフォーマンスを発揮することができるのです。

そこで、この章では、感覚を生み出す小さな習慣を試し、そこから得られる感覚を受け取るトレーニングをしてみましょう。

勉強ボディをつくるシンプルなトレーニング

【内受容感覚トレーニング❶】呼吸

6秒息を吐いてみましょう。その後、自然に息を吸いこんでみましょう。

いつもより大きく息を吸った感じがあったら、勉強中に息を止めていたか、浅く呼吸をしていたサインです。

息を止めたり、浅い呼吸では、頭が働きにくくなります。

呼吸は、延髄の腕傍核で制御されています。腕傍核には、呼吸・循環・体温・味覚・痛み等の感覚情報が、迷走神経系、交感神経系を介して届けられ、そこから孤束核や扁桃体、視床下部に情報が送られて、体の調整がなされています。

この腕傍核は、「吸息オフスイッチ」と呼ばれ、生命維持のためにゆっくりと深く呼吸するモードと、会話に適した速く浅く呼吸するモードの切り替えがなされています。吸息オフスイッチは、反射的に作動して、場に適応した呼吸モードを発動します。

腕傍核は、**「勉強するという認知活動」と「呼吸という生命維持活動」を結ぶ役割を担っている**と考えられ、近年、注目されています。

呼吸と認知活動との関連が、様々な研究から明らかにされてきています。

たとえば、10分間、決められたテンポで呼吸をしたグループと、自然に呼吸をしたグループで認知課題の成績を比較した実験があります。

結果は、決められたテンポで呼吸したグループのほうが課題の成績が上がりました。

ここで用いられた課題は、ストループ課題といって、青色で書かれた赤という文字を「青」と読むという感じで、目に入った刺激から自分の目的に見合う部分を読み取って行動する課題です。

ストループ課題には、情報を選別する能力が要求されます。

勉強中やデジタル媒体で情報を閲覧しているときには、ただ読むのではなく、文章の中から答えを導き出すように、目的に見合った情報を抽出しなければならず、この情報選別能力が欠かせません。

その能力が、呼吸の仕方に左右されるのです。

勉強に臨むときに、まず6秒息を吐く。気が散ったり、やる気が起こらなかったら6秒息を吐く。

呼吸を使って、情報選別能力をチューニングしましょう。

【内受容感覚トレーニング❷】音読

「緊張して息が止まりやすい」「呼吸が浅い」という場合は、会話をしていても、一息に入る言葉が少なく、息継ぎが多くなっています。

呼吸そのものを意識してコントロールすることは難しい、と感じる人は多いのです。それに対して、発声することならば、意味のある作業なので取り組みやすい傾向があります。

実際の会話で息継ぎまでのスパンを長くする練習をしてみてもいいですが、一番成果がわかりやすく手軽にできるのが「音読」です。

文章を読むときは、句読点がついているので、自然にそのタイミングで息継ぎをします。呼吸が浅い人が音読をすると、句読点のタイミングで息継ぎをするのが苦しく感じるので早口になりがちです。

そこで、音読のスピードをゆるめて、普段の会話よりゆっくりめのスピードで読んだり、句読点をひとつ飛ばして、ひと息で長めに文章を読んでみましょう。

ゆっくり音読し始めると、最初のうちはゆっくり発音していることがじれったく感じたり、句読点以外のところで息継ぎをしてしまうかもしれません。

ただ、早口で読み上げるよりも、正確に発声しながら読むほうが、文章の内容を考えながら読むので、結果的に理解も深まります。

音読で呼吸が整うと、読んでいる文章の内容に興味もわいてくるものです。それは、腹側迷走神経系による、**信頼モードに切り替わっているサイン**です。

【内受容感覚トレーニング③】口内環境

交感神経系が活動しているときは、唾液にムチンという物質が含まれています。ムチンは、粘性の高い物質です。唾液に粘り気があれば早口で話しやすく、大きな声も出しやすいです。

口論をしたり、弁論中にはうってつけの唾液なのですが、勉強中も口の中がネバネバしていたり、口がカラカラに渇いているのなら、交感神経系が働き過ぎています。

一方、迷走神経系が働いているときの唾液には、酵素がたくさん含まれています。粘り気がなく、サラサラしています。

帰宅後にソファに座ってリラックスしているときに、うとうとした拍子によだれが垂れそうになってしまったことがあるかもしれません。サラサラの唾液は、口の中にとどまりづらいので、よだれが垂れてしまうわけです。

就寝前には、背側迷走神経系の働きにより、低代謝状態になって眠る準備が整います。

安全に保護されている状態で眠ることができ、睡眠中もこの低代謝状態は続きます。

ところが、睡眠中にも交感神経系が過剰に働き、高代謝状態になってしまうこともあります。その場合は、朝起きたときに口が渇いています。

朝から口がカラカラになっていたり、のどが度々痛くなる場合は、1日を通して交感神経系が働き続けているサインです。

これでは、**エネルギー消費が激し過ぎて、いざというときに力を出せなかったり、やる気が出ずに動けなくなります。**

勉強中の口の渇きを防ぐには、まず口を閉じて鼻で呼吸をすること。

そして、口の中で舌を動かすこと。

そうすると、さらさらの唾液がたくさん出てきます。席を立って、定期的に水分を口に含むのもいい方法です。

【内受容感覚トレーニング❹】　トイレ

④恐怖の体調をつくるホルモンである「バソプレッシン」には抗利尿作用があり、尿意が感じにくくなります。

勉強中に、トイレに行くのを忘れてしまう、ということがありませんか？

排尿が減ると、無自覚に水分摂取も減る傾向があります。トイレに行かなくても汗で体の水分は失われていくので、体は脱水状態になってしまいます。

脱水状態では、**ぼんやりしたり、脱力したり、イライラの症状**が出ます。勉強できるコンディションではありません。

昼間のトイレが少ないと、夜中にトイレで目覚める現象も起こります。

排尿にはノルマがあり、昼間にノルマが達成されないと、その分が夜の睡眠中に回されてしまうのです。

体には、起きている時間帯の約90分毎に、尿意を感じるリズムが備わっています。このリズムは、90分毎に、意図的にトイレに行くことで取り戻すことができます。

特に尿意を感じていなくても、時間を決めてトイレに行ってみましょう。トイレに行くという行動で、尿意のリズムがつくられます。

【内受容感覚トレーニング⑤】　水分

熱中症のように、極端な脱水でなければ、生活上で自分の体が脱水していることには気づきません。

ただ、成人では1日に2リットル程度の水分をとる必要があります。500ミリリットルのペットボトル4本分です。普段から、このくらいの量の水分がとれているでしょうか。

子供を対象にした実験結果では、脱水が課題成績と関係していることが示されています。この実験では、**水分を摂取した子供は、摂取しなかった子供に比べて、課題の成績が高かった**、という結果が示されています。

脳の働きを調べる研究では、脳血流量を調べることが多く、脳に直接栄養を届ける血流量が脱水によって減れば、脳の働きが低下することは容易に想像されます。

水分摂取は、健康管理のためだけではなく、勉強のためにも重要だと位置付けてみましょう。

【内受容感覚トレーニング⑥】 手足の温度

緊張したときに、自分の手が冷たくなっていることに驚く人は多いものです。

腹側迷走神経系の抑制が解除されて交感神経活動が高まると、競争に勝つために、血管は収縮して血圧が上がります。

血管が収縮すれば、熱が外部に漏れにくくなるので、手足などの末梢が冷たくなります。

一時的には、局所に血流を届けてトラブルを乗り切る反応なのですが、この状態が長く続くと、血流の循環は低下してしまいます。

脳の活動は、その栄養源である血流量が指標になります。**血流量が少なくなると、脳の働きは低下すると考えられます。**

一方で、手足を温めることで、血流の循環を促進させて、認知機能の回復を促す取り組みもされています。

たとえば、健康な20歳代の女性を対象に行なわれた実験では、肘までの関節を温めることで、酸素化赤血球密度が上昇すると明らかになっています。

酸素化赤血球密度とは、吸いこんだ酸素が赤血球中に拡散し、ヘモグロビンと結合してO2Hbが生じた割合のことです。高いほど、全身に酸素が行きわたっていることになります。

被験者は、全身が温まる感覚も得ていて、緊張による脳血流の一時的な低下からの回復が促進されていると考えられます。

手足を温めることは、脳に栄養を送ることだと考えることができます。

勉強前に手を温めてみる。

もし、大きめの洗面器があったら、肘まで温めてから勉強に臨んでみましょう。

【内受容感覚トレーニング⑦】 腸内環境

試験やプレゼンテーション当日に、お腹の調子が悪くなる。よく耳にする話ですが、これは気のせいではありません。

お腹の調子は、勉強の出来を左右します。

腸管には、迷走神経の求心性（脳に情報を送る）線維（せんい）があって、腸管内の情報を脳に伝達しています。

腸内細菌によって、腸管クロム親和性細胞から離れたセロトニンが迷走神経に作用し、孤束核を経由して脳に情報を伝える経路があることが明らかになっています。

私たちは、腸内細菌の働きを自覚することはできませんが、「私たちの**気分や、やる気は、その一部が〝腸内細菌〟によってつくられている**」という事実があります。

マウスの実験では、生きている細菌である**プロバイオティクス（生菌）を摂取することで、不安が減り、気分が改善する**ことが明らかになっています。

乳酸桿菌（にゅうさんかんきん）（乳酸菌の中で細長い形をしているもの）の株をマウスに摂取させると、不快な刺激を受けたことで出現する不安や絶望を示す行動が減少して、ストレスによって増加した血漿（けっしょう）中のコルチコステロン濃度が減少しました。

さらに、この生菌は、いくつかの脳の領域で、神経を抑制させる働きを生み出す受容体を増やしました。

このような受容体の変化は、動物モデルでは、不安とうつ病様行動に関係していると考えられています。

そして、迷走神経が切除されたマウスでは、受容体の変化も、抗不安効果、抗うつ効果も発揮されませんでした。

つまり、この生菌の効果は、迷走神経系が仲介していると考えられるのです。

腸内細菌と脳機能の関係は、ヒトを対象とした実験でも確認されています。

複数のプロバイオティクスを含んだヨーグルトを摂取したら、脳の活動がどのように変化するのかが調べられているのです。

この実験では、参加者を「複数のプロバイオティクスを含むヨーグルトを摂取したグループ」「ヨーグルトを摂取したグループ」「摂取しないグループ」の3つに分けて、前後4週間の脳の活動をｆＭＲＩで調べています。

結果は、プロバイオティクスを摂取したグループは、他のグループと比較して、不安を引き起こす刺激に対して脳の不安関連領域の活動が減っていました。

つまり、**不安な出来事に遭遇（そうぐう）しても、それを不安だと感じにくくなっていた**、ということです。

また、うつ病の患者さんは、そうでない人に比べて、乳酸菌やビフィズス菌が少ないことが示されています。

安心して学習を進めるには、腸内環境を整えることが先決と言えるかもしれません。

【固有感覚トレーニング❶】　上下の歯の間隔

パソコン作業中に、歯を食いしばっていませんか？

食いしばりは、交感神経系の働きが過剰になっているサインです。

悔しい出来事に遭遇（そうぐう）すると、歯を食いしばる場面がありますが、そのような場面でもないのに歯を食いしばっているのは、交感神経系が不適切な場面で働いてしまっているということです。

必要なときに力を発揮できず、休んでいるときに高代謝状態になってしまうのです。

上の歯と下の歯が接触する時間は、通常は1日24時間中20分程度と言われています。そのほとんどが食事中です。

ところが、パソコン作業中には、歯を食いしばってしまうことが多く、TCH（Tooth Contacting Habit）と呼ばれる歯列接触癖（しれつせっしょくへき）が形成されてしまいます。歯を食いしばる動きがクセになってしまうのです。

食いしばりは、自覚することが難しいのですが、舌の位置を確認すると、チェックすることができます。

- **口を閉じるとき上の歯と下の歯が接している**
- **舌が口の奥や下の歯の付け根に位置している**

この2つに該当したら、食いしばりをしているサインです。

意識的に上下の歯を離し、舌先を上の前歯の付け根にそえて、歯と舌の正しい位置を脳に学習させましょう。

【固有感覚トレーニング❷】 顔の筋肉

教材を前にしてすぐに勉強に取りかかる。

その適切な行動選択と表情との関係が研究されています。

この研究では、適切な行動選択には、自分に注目する必要があり、自己注目には笑顔の表情が有効であるとされています。

笑顔の表情とは、表情筋が使われていることを指していて、筋電図を使った具体的な分析では、笑顔には、大頬骨筋（だいきょうこつきん）、笑筋（しょうきん）の活動が重要であるとされています。

会社の接遇研修などで、笑顔をつくる練習をした人もいると思います。

それは、**適切な行動選択ができる練習**だったのです。

これは、考えが飛躍していると思われるかもしれません。ところが、笑顔と行動選択の関係は、神経解剖学的にはとても自然なことなのです。

迷走神経系から集められる全身の情報は、鰓弓神経（さいきゅうしんけい）を介して島皮質に届けられます。

鰓弓神経からは、表情をつくる顔面神経を介して表情筋に指令が送られています。迷走神経系は、全身の情報を脳に伝達しつつ、脳からの情報を全身に伝達する、ボトムアップとトップダウン双方を担う活動をしています。

笑顔の表情がつくられた情報は、同じく鰓弓神経を介して全身に届けられるのです。

笑顔で勉強したほうが、勉強をおもしろく感じられることを示す実験もあります。

鉛筆を口にはさんで「笑顔の形」をつくるだけでも、読んでいるマンガをおもしろいと評価する、という実験です。

この実験では、一方のグループには「前歯でペンを噛ませて笑顔の表情をつくり」、もう一方のグループには「上下の唇で押さえるようにペンをくわえて笑顔を抑制した表情をつくり」、マンガを読んでもらってそのマンガを評価させています。

つまり、参加者は笑顔をつくっているつもりがないのに、笑顔の効果が表れるかを調べています。

結果は、鉛筆をくわえて笑顔になっているグループが、マンガをおもしろいと評価しました。

口角を軽く上げて勉強をすると、勉強にすぐに取りかかることができて、勉強をおもしろく感じられるということです。

【固有感覚トレーニング❸】 両足の裏

イスに座ったときに両足の裏が地面に着いていますか?

足を組んだり、ヒザを曲げてつま先が地面に着く姿勢をしていませんか?

勉強に集中しているときは自然に姿勢が良くなり、文字が頭に入ってこないときは姿勢が崩れている。これはイメージしやすいでしょう。

実際に、姿勢と集中には深い関係があります。勉強をするときの姿勢は、脳の働きに影響します。

大きな影響を受けるのは、情報の選別能力です。この後詳しくお話ししますが、勉強には、ワーキングメモリという記憶機能が欠かせません。ワーキングメモリとは、簡単に言うと**脳のメモ機能**です。ただ、メモ機能とは言っても単純に丸暗記して思い出す記憶機能とは異なります。

情報を覚えた後、一旦、頭の片隅に置いておき、次の情報を取得したときに、その類似点や相互の関連性を見出したり、必要なときに必要な部分だけ思い出して情報の理解に役立てる機能です。

つまり、勉強の場面では、ある問題を解いた後、別の問題を解いているときに前の解答方法が役立つ場合で思い出したり、勉強の合間に家事をしたとき、勉強に戻ったらすぐに再開できるようにしています。

このワーキングメモリを主に担うのは、前頭葉の背外側前頭前野（ＤＬＰＦＣ）と前帯状回（ＡＣＣ）です。

ＡＣＣは、情報のフィルタリングの機能を担い、答えを導き出すのに不必要な情報は避けてＤＬＰＦＣに伝達します。

ＤＬＰＦＣは、ＡＣＣの誘導に基づいて情報を選択して集中します。

このＡＣＣ、ＤＬＰＦＣの働きを根底から支えているのは、上頭頂小葉という部位です。

この部位は、目で見たものと、それを操作するときにどのように手を伸ばすのか、という情報の統合を担っています。

つまり、**作業の精度を決めています。**

上頭頂小葉は、体の姿勢の情報を集めて、その姿勢で目的を果たすための情報を選別して、ACCを介してDLPFCに情報を送ります。

崩れた姿勢では、筋肉から集められる筋感覚が不足し、自分がどんな姿勢をとっているのかがわかりにくくなります。現在の姿勢情報があいまいになると、その姿勢で作業を成功させるには、どの情報を選択するべきだ、という指示もあいまいになります。

その結果、選別されるべきではない情報までもがACCに届けられるので、ACCに負担がかかり、不必要な情報に集中を乱されてしまいます。

姿勢を整えるには、まず、両足の裏を地面に着けてみることです。

足にかかる重力を脳に知らせて、今の体の状態を明確にすることで、情報は選別されて、余計なことに目を奪われなくなります。

【固有感覚トレーニング❹】 重力

両足の裏を地面に着けるのが難しく、すぐに脚を投げ出したり、貧乏ゆすりをしてしまうときは、重いひざかけを試してみてください。

両足を地面に着けていられるには、2つの要素が必要です。

ひとつは、足の裏の感覚が適切に脳に伝えられていること。

２つ目は、腰や脚の筋肉により、重力や自分の体重の情報を脳に伝えられていることです。

皮膚の感覚は、強い刺激から身を守る機能と、刺激の位置や質感を識別する機能に分かれています。身を守る機能が原始的で交感神経系が担い、識別する機能が後から発達した腹側迷走神経系が担っています。

通常は、腹側迷走神経系の抑制が働いて、足の裏からの情報は詳細に識別されたうえで脳に送られるので、身を守るための動きは生じる必要がなく、足を動かさずにいられます。ところが、腹側迷走神経系の抑制がうまく機能しないと、足の裏の皮膚感覚は危険を察知しやすいように過敏になったり、不必要な感覚を得て不快になります。これで脚を動かしてしまうのです。

また、筋肉の感覚は、交感神経系が担っています。

脚をブラブラさせるときの筋肉は等張性収縮（とうちょうせいしゅうしゅく）といって、断続的な刺激が筋肉に加えられるため、交感神経活動が過剰に高まります。

一方で、足の裏を地面に着けてじっとしているときは、等尺性収縮（とうしゃくせいしゅうしゅく）といって、筋肉の長さは変わらずに活動をし続けます。

等尺性収縮では、姿勢を正した直後から交感神経系の活動が一旦高まり、その後活動は低下しつつ、安静にしているときよりは高いレベルの活動が保たれます。

これは、**交感神経活動が適度に働き、脳と体が勉強の最適ゾーンに入っている**ことを示しています。

足の裏の識別感覚を脳に届けることと、脚の筋肉が等尺性収縮で適度に活動を保つことを両立させることができれば、落ち着いて座っていることができるわけです。

この2つの条件を増幅することができるのが、重いひざかけです。

自閉症や注意欠陥多動症候群（ADHD）などの発達障がいの方は、感覚の調整が難しくなることがあります。

動物学者であり、自閉症当事者であるテンプル・グランディンは「締めつけ機」を作製し、その圧迫感で鎮静と安心感が得られることを指摘しました。

それをもとにウェイトブランケット（重い毛布）が商品化されて、寝具や学習グッズとして販売されています。

勉強を始めるとすぐに立ち上がってウロウロしてしまいがちな人は、勉強デスクに重いひざかけを常備しておくと、勉強ボディを維持する助けになります。重いひざかけは、感覚を増強させるグッズです。

また、両足の裏を地面に着けるには、足の裏の触覚も重要です。床に滑り止めシートを敷いても、足の裏の感覚は増強できます。

【外受容感覚トレーニング❶】指

勉強に集中できず、考えごとをしてしまうならば、指サックをつけて触覚情報を鮮明に届けてみましょう。

脳は、前と後ろに分けられて、「前の部分を前方連合野（せんぽうれんごうや）」、「後ろの部分を後方連合野」と言います。

見たり聞いたり触ったりした情報は、後方連合野に届けられて、その現実的な感覚は前方連合野に送られます。このときに、過去の記憶を司る側頭葉（そくとうよう）を介することで、その現実的な感覚に「意味」が添加されます。そして、前方連合野から行動の指令が出されます。

後方連合野が現実を扱うのに対し、前方連合野は加工された情報である「仮想現実」

を扱い、両者は双方が抑制し合う競合関係になっています。

考え事が頭をもたげるときは、前方連合野が後方連合野を抑制しています。こうなると、ペンを持つ手からの感覚や、ページをめくる感覚はほとんど感じられなくなり、目の前の勉強に集中できず、別のことをグルグル考えてしまいます。

そんなときは、反対に、現実的な感覚を鮮明に脳に届けて前方連合野を抑制すれば、勉強に集中することができます。

紙をめくるときに、指が滑らないようにするために使われる指サック。これをつけて勉強してみましょう。

勉強の仕方は変わっていないのに、指サックをつけただけで、普段よりもはかどるような感じがすると思います。

指サックによって、指から伝えられる触覚が増幅して後方連合野に届けられ、その強い感覚情報によって、前方連合野が抑制されるからです。

勉強を終えて指サックを外してみると、触覚が足りなくなったような感じがするはずです。触覚が足りなくなると、なんだか心もとない感じになるかもしれません。

リアルな感覚情報は、自分が確かに存在し、適切に行動している実感をつくっているのです。

同じく、筆圧が感じられやすい柔らかい下敷きや、書き心地の良い紙にこだわったノートも、触覚や手の筋肉の感覚を増強できます。

【外受容感覚トレーニング❷】下着

触覚は、内臓感覚の次に生まれる感覚で、外受容感覚の中では唯一、塞（ふさ）ぐことのできない感覚です。常に、外部の状況を脳に知らせている重要な感覚です。

その触覚は、私たちのメンタルにも大きな影響を与えています。

たとえば、触覚によって、会話のとらえ方が変わる実験が行なわれています。

被験者を2つのグループに分けて、一方のグループには手の甲に「絵筆の先ですべすべした感覚」を与えて、もう一方のグループには「紙やすりでザラザラした感覚」を与えます。

そのうえで、オンライン上で2人の人が会話をした文章を読んでもらいます。

この文章は、読み方によっては、2人の仲がいいようにもギクシャクしているようにも読めるものです。

被験者に会話の内容を解釈してもらうと、「紙やすりで触れられたグループは、絵筆で触れられたグループより、２人の会話がギクシャクしていたと解釈した」という結果が得られました。

さらに、被験者の脳の活動をｆＭＲＩで観測すると、紙やすりで触られたグループがギクシャクした会話だと感じているときに、大脳の一次体性感覚野の活動が増えていました。

一次体性感覚野は、全身から届けられた触覚情報を取り扱う部位なので、これは触覚が会話の解釈に関与している表れだと考えられます。

文章が理解しにくかったり、否定的な感情がわくときは、身に着けている衣服の素材や、フィット感が不快なことが原因かもしれません。

常に肌に接している下着は、タグや縫(ぬ)い目のチクチクした感じや、締めつけが気にならないものを選んでみましょう。

【外受容感覚トレーニング❸】聞き取る

脳の活動を記録する方法のひとつに、脳波があります。

脳波を見ると、しっかり集中しているか、ぼんやりしているか、がわかります。脳の波は、その周波数が高いと覚醒度が高く、周波数が低いと深く眠っていることを示します。通常、勉強をしているときは、13Hz以上のベータ波が出ていますが、ぼんやりしてくると、8〜13Hz未満のアルファ波が出てきます。

実はこのアルファ波が増えると、聴覚が敏感になります。

詳しいメカニズムは明らかではないのですが、動物が休息したり眠るときに、危険がないかを監視する仕組みだとも言われています。

もし、勉強中に周囲の雑音が気になってきたら、それは脳の覚醒度が低下して眠くなってきたことで聴覚が敏感になったというサインです。

「静かな場所でなければ勉強に集中できない」というのは、脳がしっかり目覚めていないということです。

脳がしっかり目覚めていれば、雑音の中から自分が聞き取るべき会話の声だけにフォーカスして、その他の音をシャットアウトすることができます。

【外受容感覚トレーニング④】　バイノーラル録音

森の中の音や、波の音など、心地良い音を聞いて、気分がスッキリした経験があると思います。これは、聴覚を介したチューニングです。

心地良い音を聞いたときには、多くの場合、大きく息を吐いています。これは、それまでの呼吸が浅かったり、止まっていたことの表れでもあります。

心地良い聴覚体験は、ＡＳＭＲ（Autonomous Sensory Meridian Response：感覚的な喜びの自発的応答）と呼ばれています。

このＡＳＭＲを生み出すことを目的に、バイノーラル録音という方法で録音されている作品があります。

これは、２つのマイクを人間の両耳と同じ距離に離して録音する方法です。２つの耳に届いている音が忠実に再現されるので、音の位置がリアルに再現されます。

ＹｏｕＴｕｂｅで「ＡＳＭＲ」や「バイノーラル録音」と検索すると、たくさんの作品を聴くことができます。

呼吸が止まっている状態から勉強ボディに取り替えるキッカケとして、使ってみるといいでしょう。

【外受容感覚トレーニング⑤】沈黙

多くの人が、普段の会話で「沈黙が生まれると気まずい」と感じているでしょう。沈黙に耐えられないときは、交感神経系の働きにより呼吸が浅くなり、心拍数が高まっています。

そこであえて、日常的に「沈黙を使おう」と考えてみてください。

人との会話で意図的に沈黙を使ってみると、普段の会話とは異なる展開になります。相手の表情の変化に気がついたり、自分が発言しているときでも、相手に配慮してセリフや声の調子を途中から変えることができます。これが、腹側迷走神経系の働きです。

つい声を荒げたり、失言をしてしまうことがあったら、それは速い心拍と浅い呼吸に従った結果です。体を変えれば、会話を友好的に終えられます。

沈黙を使うトレーニングをしていると、**心拍を整え、良い呼吸を行なう習慣がついてきます。勉強ボディをつくるために役立つ**ので実践してみてください。

集中が途切れても、また戻せればいいだけ！ 自分に合ったものだけ実行しよう

この章で挙げた項目すべてを実行する必要はありません。

これらの小さな習慣は、自律神経に働きかけるキッカケになりますが、自律神経の働きは絶えず変化し続けます。

「最適な勉強ボディをずっと維持する」とは考えずに、**「乱れてきたら、いつでも戻せる小さな習慣を持っておこう」**と考えてみましょう。

集中が乱れることを前提にしておけば、集中することへの義務感やプレッシャーから離れられ、勉強ボディをつくること自体がおもしろくなります。

小さな習慣を実際にやってみると、自分にとって、特に効果があるものと、効果がよくわからないものがあると思います。自分に影響があるものを選び、それを複数採用しておくと、様々な場面への適応力を高めることができます。

第3章ポイント

チューニングで集中を何度も再現させる

- 3つの感覚トレーニングで最適な勉強脳ができる
- **内受容感覚トレーニング**
「呼吸」「音読」「口内環境」「トイレ」
「水分」「手足の温度」「腸内環境」
- **固有感覚トレーニング**
「上下の歯の間隔」「顔の筋肉」「両足の裏」「重力」
- **外受容感覚トレーニング**
「指」「下着」「聞き取る」「バイノーラル録音」「沈黙」
- 勉強ボディは「維持する」より
「いつでも戻せる小さな習慣を持つ」ことが重要

チューニングで
集中は何度も
再現できる

第4章

安定したパフォーマンスを実現し、「勉強が長続きしない」を防止！

やる気と集中の波をなくす
「脳ネットワーク」の切り替え方
【セッティング】

●この章の目的

セッティングの技術を身につける

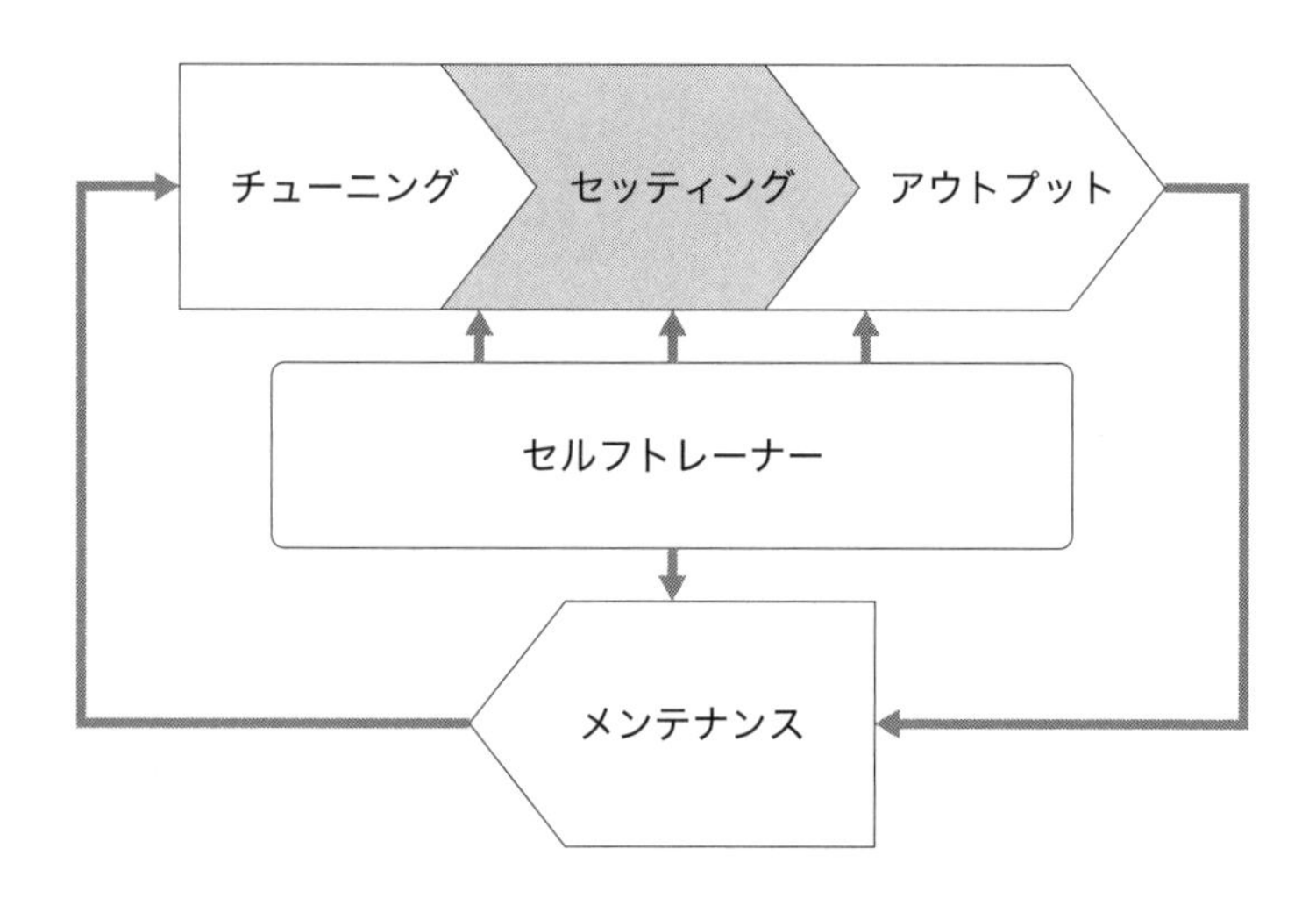

3つのネットワークを知り「勉強がはかどる課題設定」をする

チューニングによって勉強ボディができてくると、自然と勉強に手がつき、続けられるようになります。

この章では、勉強するときに、自分に課す課題を使って、勉強ボディをつくる方法をご紹介します。

勉強するときに、「どんなやり方で臨むのか」を決めるのは自分です。

これは、自分で自分に課題を出しているということですが、**課題の設定によって、脳の働きは大きく左右されます。**

「どんなやり方で勉強をするか」＝「課題設定」です。

勉強がはかどる課題設定をするには、脳に備わっている3つのネットワークを知ることが役立ちます。

脳には、複数の部位の働きで構成されるネットワークが3つあります。

何かに集中しているときに働く「セントラルエグゼクティブネットワーク」（実行系ネットワークや、ワーキングメモリーネットワークとも呼ばれます）。

ぼんやりしているときに働く「デフォルトモードネットワーク」。

前者**2つのネットワークの切り替えをする**「セイリアンスネットワーク」。

3つのネットワークは、それぞれ次のような脳の部位によって担われています。

◎セントラルエグゼクティブネットワーク

前頭葉背外側皮質と後部頭頂葉（前頭連合野と頭頂連合野）、脳の奥にある帯状の形をした帯状回の前部分である前帯状回が、特に大きな役割を果たしています。

◎デフォルトモードネットワーク

前頭眼野、上部頭頂葉、内側前頭前野、後部帯状回、楔前部、下部頭頂葉、外側側頭葉、海馬で構成されています。

◎セイリアンスネットワーク

腹側前部帯状回、眼窩脳前頭（がんかのうぜんとう）、島皮質（とうひしつ）で構成されています。

セントラルエグゼクティブネットワークとデフォルトモードネットワークは、シーソーのような関係です。

私たちは、日常の中で、この2つのネットワークの間を行ったり来たりしています。

セントラルエグゼクティブネットワークで**集中して情報収集**をしたら、デフォルトモードネットワークで**情報を整理**して、**次の行動に反映できる情報に加工**します。

この**2つのネットワークの切り替えが、効率良い勉強のカギ**だと言えます。

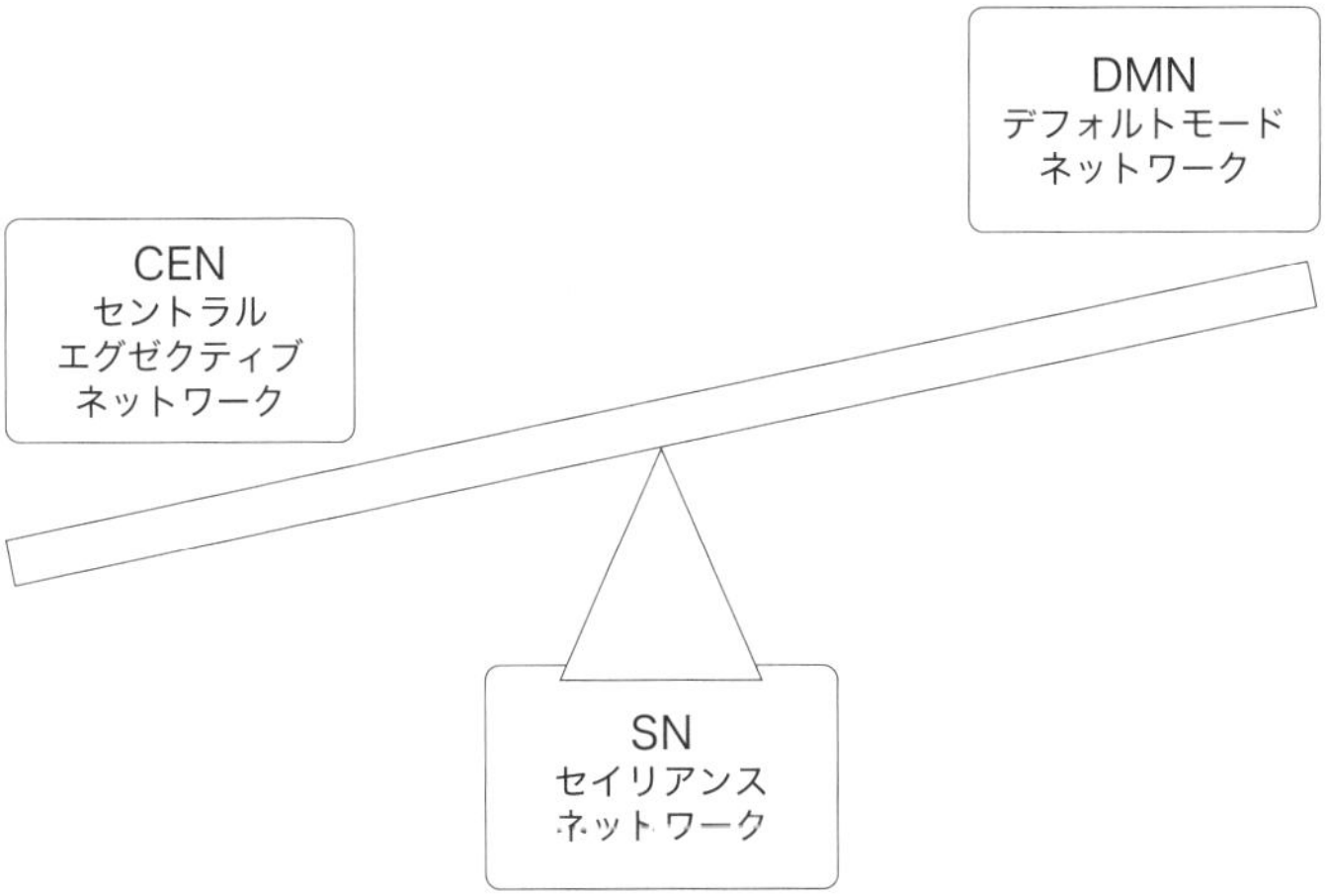

2つのネットワークは、ホメオスタシスという原理に従って、バランス良く配分されています。セントラルエグゼクティブネットワークが使われ過ぎたら、強制的にデフォルトモードネットワークに切り替わります。デフォルトモードネットワークが充分に使われたら、セントラルエグゼクティブネットワークを使う課題に取り組むことができます。

2つのネットワークの切り替えを担っているセイリアンスネットワークの中枢は、大脳にある島皮質（特に右前島皮質）だと考えられています。

そして、その島皮質に情報を届けているのが、迷走神経系です。

全身からの感覚情報が、セントラルエグゼクティブネットワークとデフォルトモードネットワークの切り替えを担っています。

前章の小さな習慣で勉強ボディがつくられてこそ、効率良く脳のネットワークの切り替えができる所以（ゆえん）です。

3つのネットワークの関係が大まかに理解できたところで、2つのネットワークがうまく切り替えられる課題設定を考えていきましょう。

15分に1回「焦点視」を「周辺視」に切り替える

いったん勉強を始めると、**ずっと集中し続ける。これは、理想的ではありません。**

ホメオスタシスの原理では、過度な集中は、過度な鎮静を生むので、ずっと集中し続けたら、その後しばらくは勉強する気にならなくなってしまい、トータルで考えると勉強が進まなくなってしまいます。

総合的に良い勉強をするには、脳のネットワークをうまく配分する必要があります。

脳の働きをうまく配分するには、目の使い方が大切です。

具体的なやり方は、15分に1回、画面や資料から目をそらすことです。

目の使い方には大きく2種類あります。

右手の人差し指を目線の高さに上げてみましょう。指先を見てみてください。これは焦点視と言います。

今度は、指先に焦点を当てずに、指先の周囲に焦点を当ててみましょう。指先がぼんやり見えていると思います。これは周辺視と言います。

この**2つの目の使い方は、脳のネットワークの切り替えと密接に関係**しています。

焦点視では、セントラルエグゼクティブネットワークが起動します。体は交感神経系の活動が活発になっています。

一方、周辺視をしているときは、デフォルトモードネットワークが起動します。体は、背側迷走神経系が働いています。

脳のネットワークは、ホメオスタシスの仕組みで自動的に調整されているのですが、この2つの目の使い方を誤ると、勉強と脳のネット

ワークのミスマッチを生み出してしまうことがあります。

◎20倍のエネルギーが消費されてしまうマインドワンダリングとは？

ここで実際の例を見てみましょう。

Bさんは、パソコンで資料を作成していました。脳ではセントラルエグゼクティブネットワーク、体は交感神経系が使われています。

区切りのいいところまでできたので休憩します。

本来は、この休憩中に脳内ではデフォルトモードネットワークが使われて、たった今仕入れた情報を次の作業に使えるようにするのですが、休憩中にスマホを見ていました。スマホを見ることで、引き続き焦点視が使われたので、セントラルエグゼクティブネットワークが使われ続けます。

そして、再び作業に戻ると、セントラルエグゼクティブネットワークが限界まで使われた反動で、強制的にデフォルトモードネットワークが起動します。

すると、パソコン作業に集中できず、**作業と関係ない考えばかりが頭に浮かぶ、マインドワンダリングという状態に陥（おちい）ってしまいます。**

Bさんは、残りの時間、全く集中できずに終業の時間を迎えてしまいました。何もできなかったわりに、とても疲れています。

マインドワンダリングは、セントラルエグゼクティブネットワークで集中して作業しているときの「20倍もエネルギーが消費される」とも言われています。効率良く勉強するには、焦点視の使い過ぎに気づいて、時間を決めて周辺視を使う必要があるのです。

マインドワンダリングの研究では、被験者に課題と違うことを考えたタイミングで記録してもらったところ、16分に1回のペースで別のことを考えていたことが明らかになっています。課題への集中は、15分を1単位として、15分毎に画面や教材から目をそらしてみましょう。

手作業を行なうインターバル勉強法の効果――「集中しているから区切りたくない」は大間違い！

勉強のはかどり具合によらず、一定の間隔で別の作業をすると、「情報収集と情報整理」という2つのネットワークをタイミングよく切り替えることができます。

教材を整理したり、部屋を片づけるなどの家事をする。少し散歩をしたり、ぼんやり外を眺める。

特に頭を使わなくてもできる作業をしていると、全身状態は低代謝になり、脳はデフォルトモードネットワークに切り替わります。

このとき、マンガを読んだり、ＳＮＳをチェックするといった作業を選ぶのは避けましょう。目は焦点視になり、新しい情報が取り入れられたことで、ネットワークが切り替わらなくなってしまいます。

「せっかく勉強をやり出したのに、一定時間で区切るのはもったいない」と思われるかもしれません。

しかし、**本当の勉強は、デフォルトモードネットワークになったときに行なわれているのです。**

セントラルエグゼクティブネットワークで情報を取り込んでいるときは、しょせん他人の文章を取り込んでいるだけです。

そこから、自分の体験や過去の知識と参照して自分なりの知識をつくり出すのが、デフォルトモードネットワークの役割です。

試しに、勉強を切り上げて別の作業をしてみると、その作業中に、視点が切り替わり、行き詰まっていた考えが別の角度から開ける体験をするはずです。勉強のすべてを自分でやろうとせず、脳のネットワークに任せるつもりで、さっと切り上げて、いい考えが思い浮かんだところで再び勉強に戻りましょう。

「同じ姿勢で勉強し続ける」のはやめよう

私たちは学生時代から、じっとイスに座り続けて勉強することが良いことだと教えられてきています。そのため、勉強中に席を立つことに抵抗がある人もいるかもしれません。

同じ姿勢でいるときの脳の働きを調べた研究があります。この研究では、脳の活動を脳波で調べています。脳波では、刺激を提示されると、ベータ波が増加し、アルファ波が減少します。そのまま刺激が提示されていると、ベータ波は徐々に減少し、アルファ波が増加していきます。

これは、まず**刺激に対して注意が引き起こされて**（ベータ波の増加）、**その刺激がなんなのかが解読できたら高まった注意が元に戻る**（ベータ波の減少）、という一連の脳の活動を示しています。

私たちが、課題に取り組んでいるとき、脳内では、このベータ波の増減が起こっていて、これが脳活動の増減の指標になります。

実験では背もたれのないイスに腰かけた姿勢と、寝転んだ姿勢で課題を行ない、姿勢の違いによって、脳の働きに違いがあるのかが調べられました。

その結果、背もたれのないイスに腰かけている姿勢は、寝転んだ姿勢に比べてベータ波の増減数が多いことが示されました。

この時点では、勉強するならば、寝転んだ姿勢よりイスに座ったほうが脳の活動が高まると言えます。

さらに課題の時間が経過すると、**イスに座っている姿勢でも、時間の経過とともに**

ベータ波の増減が低下しました。

つまり、勉強するために脳の活動を維持するには、同じ姿勢をとり続けない、ということが好条件になります。

では、何分で立ち上がればいいのか？

「同じ姿勢を続けている」という事実は、全身から迷走神経系を介して脳に伝達されます。姿勢が変わることで血流が滞っている情報を受けると、交感神経系により心拍数が上がり、血液が押し流されます。

しかし、姿勢は変わっていないので血流が滞る問題は解決せず、単に体にかかる負担が増えるだけになってしまいます。

血流が滞ると、体と脳に蓄積する疲労物質が代謝されにくくなります。

たとえば、必須アミノ酸であるトリプトファンは、セロトニンに代謝されますが、それ以外に代謝される系統でキノリン酸という神経毒性のある物質が生み出されます。これが脳内に蓄積すると、疲労感が増すと考えられています。

こうした疲労物質を蓄積させないためには、血流を保つ目安は、30分に1回姿勢を変えることが有効です。

座りっぱなしを避けて、30分に1回は立ち上がって少し歩いてみましょう。そのタイミングで軽く水分補給をすれば、血流の改善や脱水の防止ができます。また、胃に水分が入れば、迷走神経系から情報が届けられ、交感神経系の過剰な活性化を抑えることができます。

さて、ここまで勉強に集中するには、一度にやらずに細かく区切るのが良い、とお話ししました。

これを踏まえて、次のページからは「勉強が長続きしない」「勉強に手がつかない」「気分のムラをなくしたい」という人のための対策をご紹介していきます。

【気合いを入れて勉強を始めても、長続きしない人のための対策】

危機感は武器ではない！勉強できない原因にしかならない

「勉強しないとヤバい！」という危機感が原動力になっていると、勉強ボディはつくられなくなってしまいます。

私たちの体は、脅威を前にすると立ちすくんで動かなくなる。それは、生存戦略として有効な手段だから。むしろ「動かないことにこそ意味がある」からです。

この動けなくなるフリージングシステムには、2種類あると考えられています。

「**恐怖で動けなくなるシステム**」と、「**安全過ぎて動けなくなるシステム**」です。

危機感がないとやる気にならない、というのは後者のシステムによる反応を指しています。

どちらのシステムも、背側迷走神経系が関与しているのですが、分泌される物質が異なります。

恐怖で動けないときにはバソプレッシンが、安全によって動けなくなるときはオキシトシンが分泌されます。

バソプレッシンは低代謝状態をつくり、体を動かなくしてしまいます。

オキシトシンは、安心感や共感を生み出す物質です。単独で作用するというより、ストレス反応を生み出すＨＰＡ系（視床下部→脳下垂体→副腎の反応系列）を弱めたり、ドーパミン、セロトニン、ノルアドレナリンといった神経伝達物質と共同で作用して体が動かなくなります。

オキシトシンによって安全過ぎて勉強しなくなったとき、「自分が勉強しないのは〝危機感〟が足りないからだ」と考えて、講座に大金をつぎ込んだり、無理やり締め切りを設けると、バソプレッシンによる「恐怖」で、体はすくみ、動けなくなります。

どちらにしろ、体は動かなくなるので、そもそも危機感に頼る設定を見直さなければなりません。

「保障50％、冒険50％」の安全レベルでしか、新しいことは学べない

フリージングした体を再び動かすには、次ページの図を理解することが役立ちます。

この図では、縦軸は「脳がどのくらいシャキッとしているかを示す覚醒度」を、横軸は「課題の難易度」を示しています。

神経活動による脳の覚醒度は、私たちが取る行動によって左右されます。それは、自らの行動で安全性が変わるからです。

動かなければ安全が確保されますが、行動することでその安全性は壊され、リスクが生じます。そのリスクに対応するために、脳の覚醒度が高まるのです。

課題の難易度（リスク度合い）と脳の覚醒度の関係は、図のように逆U字の曲線になります。

私たちは日常的に、次の3つの行動から選択して、自分の安全レベルを決めています。

・いつも通り、同じことを繰り返す行動
・安全は保障されながらも、やり慣れていないことにちょっと挑戦してみる行動
・何が起こるかわからない冒険的な行動

いつも通りの行動をしているときには覚醒度は低いですが、課題の新奇性が高まるにつれて脳の覚醒度は高まっていきます。

元の日常に戻れる保障があるうえで、新しいことに挑戦するくらいの難易度になると、脳の覚醒度は最高になります。

しかし、それ以上難易度が高い、先

課題設定と脳の働き

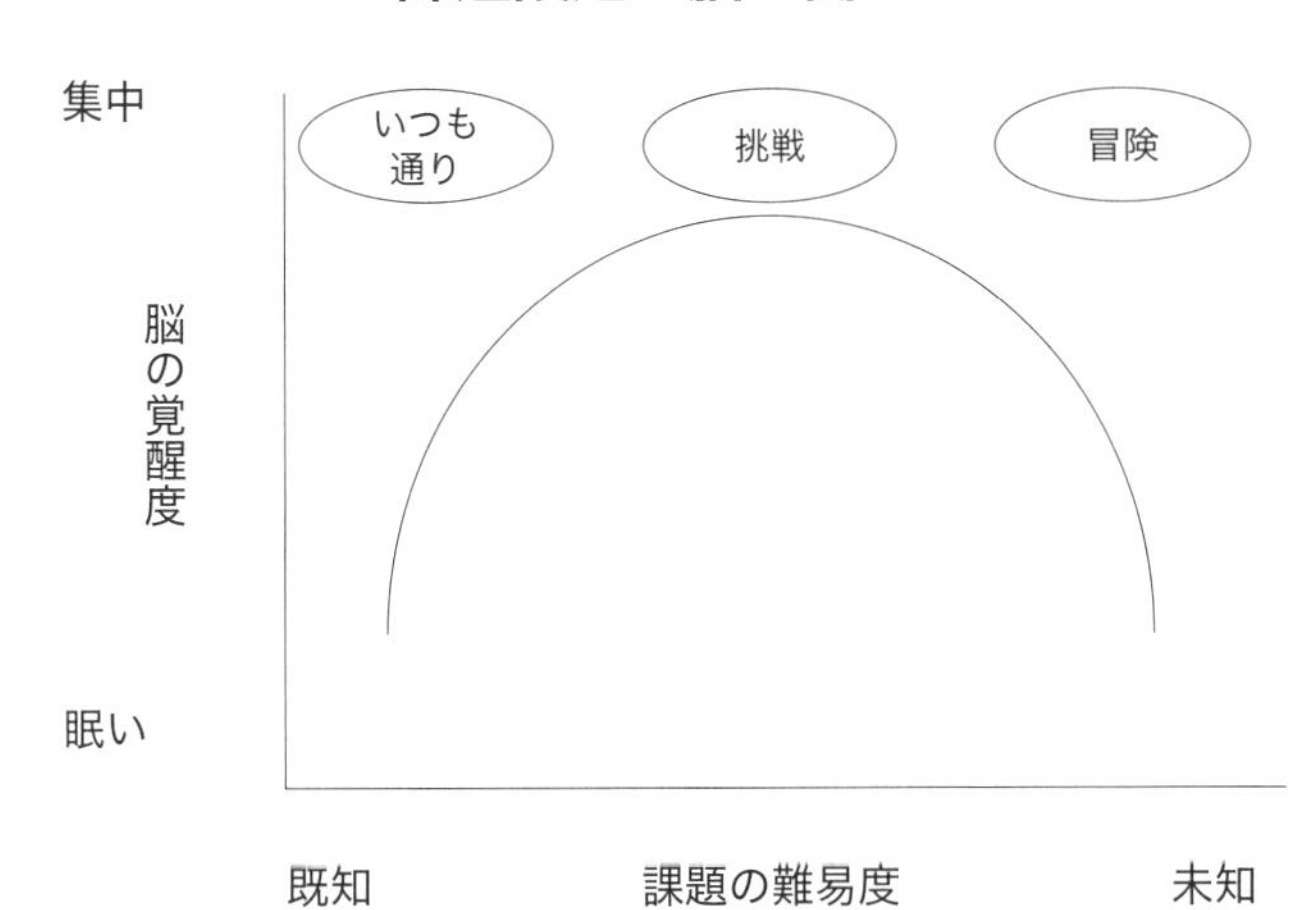

行きの見えない冒険になると、脳の覚醒度は再び低下していきます。

この逆U字曲線は、心理学では、提唱者の名前から「ヤーキーズ・ドットソンの法則」と呼ばれています。

これに、神経活動の3階層を当てはめることができます。

いつも通りの行動では、オキシトシンと背側迷走神経系による低代謝状態がつくられ、穏やかなテンションがつくられます。この時点では、勉強する気は起こりません。

課題の難易度が高まると、交感神経系や腹側迷走神経系が高まり、心拍や血圧を上げて瞬発力を発揮したり、それを適度に調整します。

難易度が高くなり過ぎて交感神経系の働きが過剰になったり、難しい課題に取り組む時間が長期間に渡ると、交感神経系の消耗が激しくなります。

すると、交感神経系の活動が低下して抑制が外れて、バソプレッシンと背側迷走神経系による低代謝状態がつくられます。

勉強に対して立ちすくみ、動けなくなり、意欲を失ってしまうのです。

勉強を続けられる人の「4日間、ひとつの勉強だけ」ルール

勉強する動機がなく何もしていなかった人が、ふとしたことをきっかけに突然勉強を始めると、長続きしないことが多いものです。

これは、「いきなり見通しの立たない冒険をしてしまったこと」が原因です。

何もしていなかった状態から勉強を始めるには、**いつも通りの行動にひとつだけ新しい行動を足す**ようにしましょう。

塾やスクールに通ったり、高額な教材を申し込んでしまうと、続かずにやめてしまうことになります。

日常の時間割にひとつ（1コマ）だけ勉強を入れたら、それ以上は課題を増やさないようにします。これだけなら、交感神経系の活動が適度に高まります。

勉強が「いつも通り」の行動になるには、最低でも4日以上かかり、長いと2週間

程度かかります。

4日以上継続すると、「どうやら危険はなさそうだ」と腹側迷走神経系の抑制が働き、再び低代謝状態になります。

この低代謝状態は、太刀打ちできずに動けなくなってしまう状態ではなく、動くことにエネルギーを使わなくなった状態です。

つまり、「**慣れた状態**」です。

ここで、教材を変えたり、時間割で勉強の時間をもう1コマ増やします。すると再び、覚醒度が高まります。そして、慣れたらまた勉強を増やす。

これを繰り返せば、勉強する行動を無理なく増やし続けていくことができるのです。


企業の経営者のように、先行きを見通しながら事業を継続していかなければならない人は、課題の難易度をかなり意識的に選択しています。先行きが見えないときは、日常をルーティン化し、見通しが立ったら新しい行動を加える、という要領です。

これは、リスクを避けながらも成長していくための戦略なのです。

危機感をあおって体を動かすのではなく、ちょっとの挑戦で覚醒度を調整する戦略で、日常に勉強を取り入れて定着させていきましょう。

オキシトシンをうまく利用すると自然に「勉強する人」になる

安心し過ぎて勉強できない体について、もう少し詳しく見てみましょう。

「一緒に勉強している人たちが、勉強していないことがわかると安心する」という体験がありませんか？

ほっとして、こわばっていた体の力が抜けるような感じです。オキシトシンの生み出す共感は、頭で考える共感よりさらに身体的、情緒的な共感です。

一方で、自分から遠い存在の人たちが勉強しないでいることを知ると、「努力を怠（おこた）っている」などと嫌悪感を覚えることがあるでしょう。

オキシトシンは、自分が属するグループの絆（きずな）を深める反面、他のグループとの違いを強調したり、排除する作用があると考えられています。

実際に、オキシトシンを吸入すると、他の民族より自分の民族のほうが優位だという感情を抱くことが、実験で確認されています。

オキシトシンは、自分と近しい人との関係で生み出される共感に作用しますが、自分とは別の集団への共感、つまり、頭で考えて共感することには作用しません。

オキシトシンによってつくられる安心感は、グループの絆を強めますが、それによってグループ全体が挑戦しなくなっていく、勉強しない絆ができてしまうこともあります。

反対に、勉強している人たちがいるところに身を置いてみるだけで、なんだかはかどったという経験をするのも、このオキシトシンの作用と言えます。

勉強する場所を選べる場合は、「**テキパキ行動している人たちが集まる場所**」を選んでみましょう。

「知っていることを説明する」と「知らない情報も吸収できる」

勉強の始めは、「自分がよく知っていることを、人に説明する」ことから始めてみましょう。自分がよく知っていることならば、大それた冒険にはなりません。

オキシトシンによって保護された体でも、それほど抵抗なく動き出すことができます。

自分がよく知っていることを人に説明すると、うまく説明できない箇所（かしょ）があることに気がつきます。自分の中で「理解があいまいになっている知識」があると気づけます。

これは、セントラルエグゼクティブネットワークによって**字面では学習したけど、**デフォルトモードネットワークで**完全に自分の知識になりきっていない**、ということです。

それが見つかったら、その知識を正確に説明できるように勉強を始めてみましょう。

すでに知っていることを勉強すると、既存の情報の中に知らない情報が織り込まれ、最も覚醒レベルが高まる設定の「安全が保障されたうえでの挑戦」ができます。

この課題設定ならば、努力しなくても自然に興味がわいてきて、集中して勉強できるはずです。

教材はパラパラめくって、知っている所から読む

同じように、教材や書籍を購入したら、まずパラパラめくって、すでに知っていることが書いてある所から読み始めてみましょう。

教材の順番に沿って勉強することにこだわってしまうと、課題の難易度設定が高くなり過ぎてしまい、脳の覚醒レベルは低下してしまいます。冒頭から数行ほど知らない知的情報が並んでいると、フリージングして読み進められず、居眠りしてしまうことすらあります。

それに対して、**すでに知っている知識なら、違う人が違う言葉で書いていても、そ**

れは脳にとって安全な範囲での挑戦になります。

これなら、高い覚醒度で読み進めることができます。

そして、これから学ぼうとしていることが、これまでの知識とどのように関係するかが整理できるので、新しい学習も全く未知な冒険ではなくなります。

【勉強に手が出ない、勉強しない自分に罪悪感を抱いてしまう人の対策】

リスタート「できる動機」と〝できない動機〟とは？

オキシトシンともうひとつ、体が動かなくなってしまうバソプレッシンへの対策も立てておきましょう。

バソプレッシンが増加して体が動かなくなってしまうのは、恐怖の反応です。

この恐怖の反応は、勉強する動機付けに「外発的動機付け」が使われていることで生み出されます。

勉強に対するやる気は、心理学では動機付けと呼ばれ、外発的動機付けと内発的動機付けに分けられます。

外発的動機付けは、外から刺激が持ち込まれて動機がつくられています。「先生に褒められる」「給料が上がる」「旅行に行ける」「欲しいものが買える」ために頑張る、というように、なんらかの報酬が手に入ることが前提になっているのです。

それに対して、内発的動機付けは、自分の内部から動機がつくられています。「知りたいことがある」「詳しくなってもっと上手にできるようになりたい」「他人の助けになりたい」というように、報酬が前提になっていません。

外発的動機付けでも内発的動機付けでも、やる気になることは変わりませんが、その**作業を失敗したときに、大きな差が生まれます。**

脳は、やる気になっているときに内側前頭前野が働きます。

外発的動機付けの場合、その作業に失敗すると、内側前頭前野の働きは急激に低下します。一気にやる気を失ってしまうのです。

それに対して、内発的動機付けの場合は、作業に失敗しても内側前頭前野の働きは低下しません。

これは、受験の場面を思い浮かべるとわかりやすいと思います。

親や先生、世間体のために受験していた場合、不合格になると一気にやる気を失い、再受験どころか勉強自体もやらなくなってしまうことがあります。

自分の目標や、その先のなりたい自分が描けている場合は、たとえ受験に失敗しても、次のチャンスまで勉強を続けて再受験することができます。

勉強に手が出なくなってしまうのは、そもそも「報酬を得る設定」をし

自分で決めたことは「失敗しない」

外発的動機付け

お金
見栄
物欲

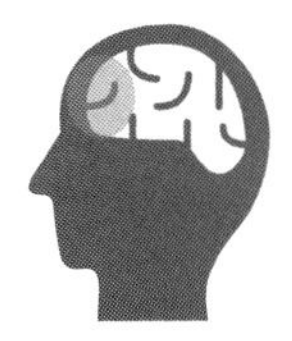

失敗すると →

一気にやる気を失う！

内発的動機付け

探求
上達
貢献

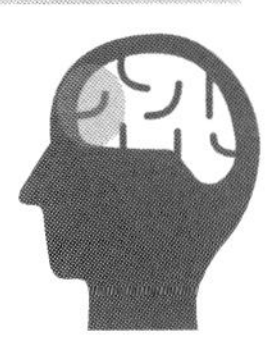

失敗しても →

再チャレンジできる！

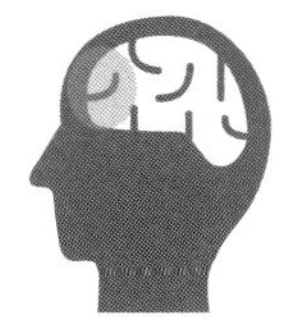

てしまっていることが問題です。

これは、脳の報酬系を使った方法なので、うまく避けられるために、まずは報酬系の特徴を知っておきましょう。

なぜ、「報酬と罰の設定」では、勉強に着手できないのか？

報酬系は、中脳という部位のドーパミンニューロンが、腹側被蓋野（ふくそくひがいや）や大脳基底核（だいのうきていかく）の線条体（せんじょうたい）に投射されて構築されています。ドーパミンは、私たちの行動を強化する役割をしています。

まず、報酬を受けると、ドーパミンニューロンの活動が一過性に上昇します（次ページの図のⒶ）。

次に、報酬を与える前に、これから報酬を与えることを予告すると、予告された時点でドーパミンニューロンの活動は上昇し、報酬が得られたときには上昇しなくなります（下の図のⒷ）。

さらに、予告をしたうえで、報酬を与えないと、ドーパミンニューロンの活動は低下します（図のⒸの枠内）。

つまり、「勉強していた知識が、たまたま他の人の悩みの解決策になった」という感じで、予想していなかった報酬を受けたときは、ドーパミンニューロンの活動によって「また勉強をやりたい！」と行動が強化されます。

しかし、勉強を頑張った後のご褒美を設定した途端に、勉強してご褒美をもらっても、ドーパミンニューロンの活動は上昇しなくなり、代わりに、**ご褒美を設定する行動が強化されてしまう**のです。

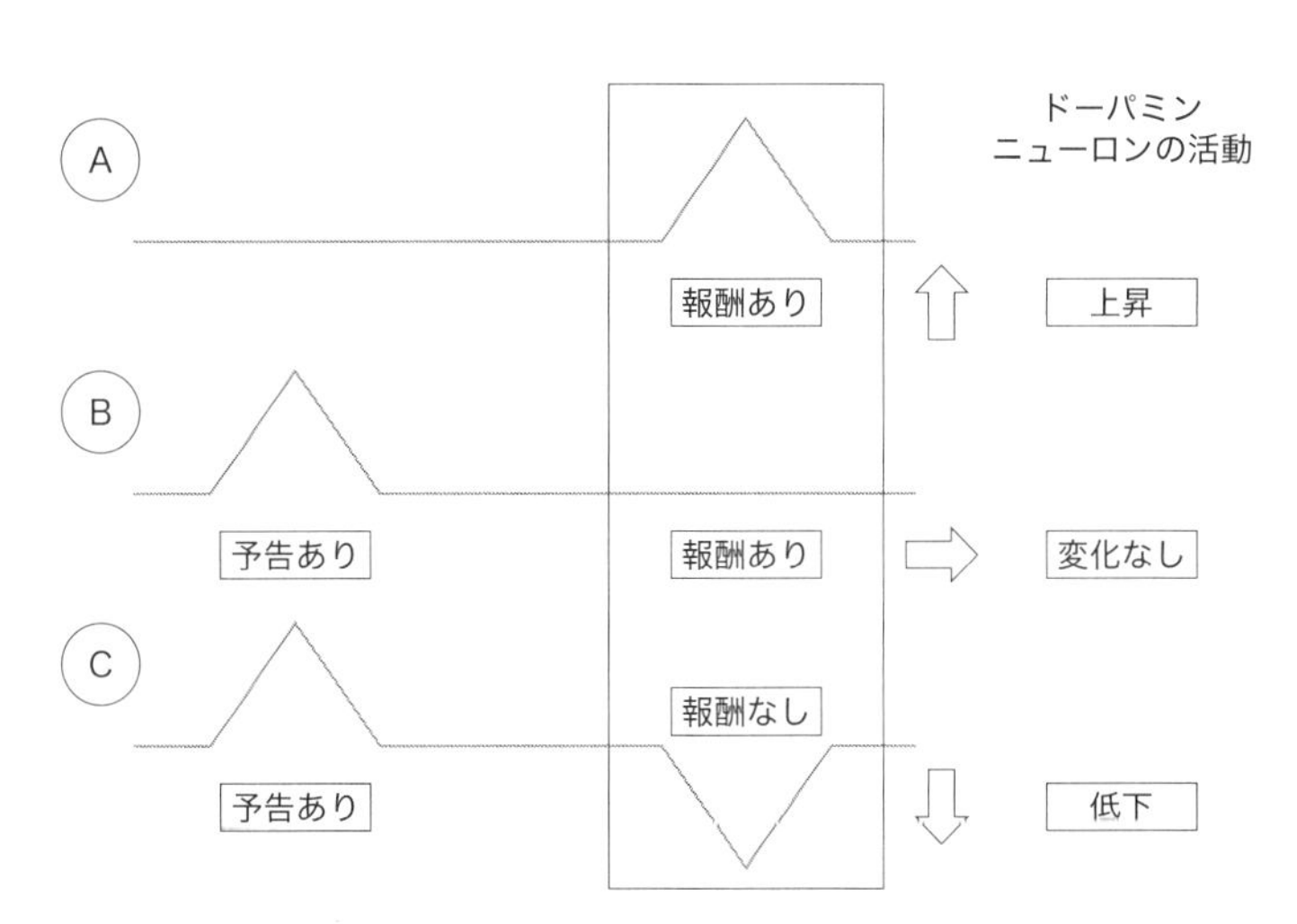

これで、「ご褒美がなければ勉強しない」という姿勢が出来上がってしまいます。

さらにマズいことに、ご褒美を設定して勉強したのにご褒美がもらえないと、ドーパミンニューロンの活動は、通常の状態よりも低下してしまいます。ご褒美をくれると言われても、「本当かどうかわからないから、やる気にならない」となってしまうのです。

ドーパミンニューロンは、報酬だけでなく、罰に対しても働きます。

罰を与えられると、次に同じ条件になったら罰を受ける、という予測反応として、ドーパミンニューロンが上昇します。

報酬を予測するニューロンと、罰を予測するニューロンは、中脳の中で異なる部位に分布しています。

報酬を予測するニューロンは「行動を強化する役割を持っている」のに対し、罰を予測するニューロンは「自分にとって害のある刺激を発見できるように、注意の機能を支えている」と考えられています。


ご褒美を設定すれば、次のご褒美は何にしようか、とご褒美を選ぶ行動が強化され、罰を設定すれば、罰につながる刺激を発見して、それを隠れてやる。

どちらにしても、「報酬と罰の設定」は、勉強に着手できない仕組みなのです。

精神的ストレスから「1日中何もせずに過ぎてしまう人」のメカニズム

勉強しなきゃと思う反面、その自分を欺くように、隠れて勉強以外のことをする。そして1日が終わったり、試験の日が近づいたことに気づくと、体は固まり、やる気は一気に失われます。この反応に、バソプレッシンが関係しています。

バソプレッシンは、脳に神経伝達物質として放出されるときと、全身にホルモンとして放出されるときでは、その作用が異なります。

「試験までもう日がない！」といったように、自分が置かれた環境が危険だと感じたときには、脳に向けて交感神経系の働きを亢進させて、全身に対しては、背側迷走神経系の働きを亢進させます。すると、イライラするのに、体は動かない状態になります。

バソプレッシンは、ストレス反応に関係します。ストレスに応答するコルチコトロピン放出因子と共存して、外敵をやっつける役割を持つ副腎皮質刺激ホルモン、コルチゾールを放出させます。

ウイルスなどの実際の外敵が体内に侵入したわけではなく、怒鳴られるなどの精神的な打撃を加えられた場合でも、外敵を駆除するシステムとして、バソプレッシンとコルチコトロピン放出因子は放出されます。

通常は、コルチゾールによって炎症が引き起こされ、外敵が駆除されると、コルチゾールによるフィードバック制御で、外敵駆除（がいてきくじょ）の役割を果たしたコルチコトロピン放出因子は減ります。

ところが、**精神的ストレスの場合は、駆除すべき外敵が存在しません。**

敵をやっつけようと出てきたコルチゾールは、敵がいないことを司令部に知らせて、コルチコトロピン放出因子は減りますが、この知らせはバソプレッシンに働きません。

外敵がいないのにバソプレッシンの働きで副腎皮質ホルモン、コルチゾールが放出され続けて、外敵の代わりに自身の神経細胞を攻撃してしまうのです。

これが慢性的なストレス状態です。

「報酬と罰」を設定してしまうと、自分自身で慢性的に動けない体をつくり上げてしまうのです。

内発的動機付けをつくり出す4つの要因

報酬や罰といった外発的動機付けではなく、内発的動機付けをつくることが、勉強ボディには必要です。

内発的動機付けを促進するには、「褒(ほ)める」がキーワードになります。

内発的動機付けとは、行為そのものに喜びや楽しみがあり、それに導かれて行動できる動機付けです。

「勉強して新しい知識を得ること」「モヤモヤしていたことがクリアになること」自体に喜びや楽しみがあり、それに引きつけられて勉強することです。

交感神経系によるムダに高いテンションや、自分の心に打ち勝つ強い意志は必要ないので、まさに理想的な体の状態です。

内発的動機付けをつくるために、褒めが有効に働くには次の要素が必要だとされています。

❶相手との信頼関係

❷結果を出した能力より、プロセスの努力を褒める

❸褒めること自体も外発的動機付けの要因になり得る。実行動より自律性を褒める

❹他者との比較は規範への依存を増強させて、逆境に対して弱くなる

腹側迷走神経系により、「信頼」モードの体がつくられていれば、❶の相手との信頼関係は形成されやすく、自然に内発的動機付けが形成されます。

❷は、勉強の始め方、集中、達成というプロセスで「信頼」「探求」モードの体づくりについて実行したことに着目する、ということです。

❸は、セルフトレーナーを使って、自分を第三者的にサポートしたことに着目する、ということになります。

そして、他人と比較することをやめて、「競争」モードになるのを防ぐ❹。

つまり、ここまでお話ししてきた勉強ボディをつくることに注力していただければ、自然に内発的動機付けになるということです。

どうしても欲しいなら「本質的なご褒美」を

ここまで、ご褒美のために勉強する設定はやめてみましょう、とお伝えしてきました。

でも、「内発的動機付けで自分のために勉強することも、自分にとってはご褒美になるのではないか」と思った人もいるのではないでしょうか。

脳には、中脳のドーパミンニューロンを中心とした報酬系以外に、もうひとつ報酬に反応する系統が備わっています。それは、前頭前野外側部（ぜんとうぜんやがいそくぶ）にあります。

中脳によるご褒美は、ある特定の「物」でした。それに対して、前頭前野外側部が反応するのは、ある特定の「カテゴリー」です。

漫然（まんぜん）とただ勉強をするより、勉強をした先に、新しい活動や新しいフィールドが待っているという設定があるときは、自然に勉強がはかどった経験があると思います。

目先の具体物のご褒美ではなく、そのひとつ上のカテゴリーが見えているときに、前頭前野外側部は活発になります。

たとえば、資格を取ろうと勉強していたとして、「資格を取ることが目的」になっている人と、「資格を取ったことで、多くの人の役に立てるようになることが目的」になっている人がいたとします。

前者は中脳の報酬系、後者は前頭前野外側部の報酬系を使っています。

どちらもご褒美に向かって勉強に励むのですが、先ほどお話ししたドーパミンニューロンの特徴から、資格を取ったという目的が達成された途端、**中脳の報酬系は働かなくなります。**

資格を取って終わりで、「他に何かおもしろそうな資格ないかな」という感じで資格取得自体が目的化していきます。

一方、**前頭前野外側部の報酬系は、資格が取れた後も、その活動が低下しません。**

それどころか、「人の役に立つ」というカテゴリーに当てはまる他の行動にも報酬系が

働き、積極的に人に役立つ行動をとるようになります。

日常の行動の中で、報酬に設定されていたカテゴリーに当てはまるものがすべてご褒美になるのです。

勉強は、それ自体が目的化してしまうと、途端に息苦しくなります。

それは、成功か失敗か、報酬か罰か、という交感神経系の「闘争か逃走」反応に裏打ちされた体がつくられるからです。

勉強したら、どうなるのか――。ひとつ上のカテゴリーを設定することで、勉強の効率と成果を高める報酬系を活用しましょう。

やる気を持続させるには

中脳の報酬系

資格を取る
ことが目的

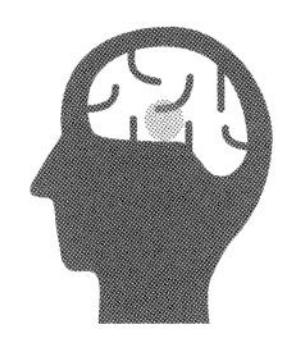

達成すると・・・

やる気が落ちる！

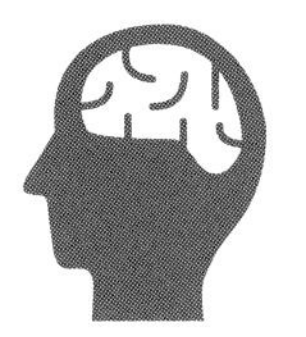

前頭前野外側部の報酬系

資格の先に
目的がある

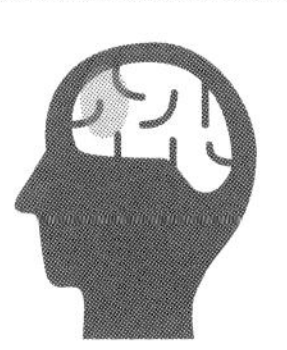

達成しても

やる気が続く！

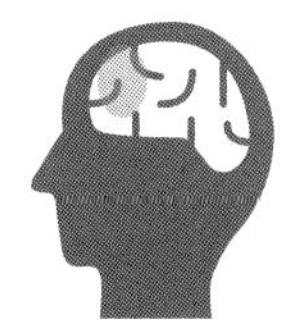

【勉強の波をなくしたい人の対策】

勉強ハイは総合的パフォーマンスを落とす

「一度勉強をやり始めれば、眠らずにずっとやり続けられます」と話してくださる人がいらっしゃいます。

ただ、長期的なスパンで見ると、その後、朝起きられない日が続いたり、数日、朝から横になり続けてしまう傾向がある人が多いのです。

集中することは望ましいのですが、一過性に集中し過ぎて、総合的にはパフォーマンスが低下してしまう体の使い方は変えていきましょう。

「一度やり始めたらいくらでも」。このセリフには、βエンドルフィンという物質が関係しています。

βエンドルフィンという神経伝達物質は、マラソンランナーが苦しさを超えると気持ちが良くなる「ランナーズハイ」という現象を生み出す物質として聞いたことがあるかもしれません。

脳は、異常な活動をしないように、有害な物質を中に入れないようにしています。脳の中の血管は、外部から有害な物質が入りこまないように、脳の中に入っていいものとそうではないものを選別する関門があり、血液脳関門（けつえきのうかんもん）と呼ばれています。

ところが、この関門を通ってしまう有害な物質が稀（まれ）にあります。

麻薬として知られるアヘンは、その関門を通り抜けてしまう数少ない物質です。

脳の中にアヘンが入ると神経細胞にあるアヘン受容体に結合して、神経は異常な活動をします。痛みを感じなくなったり、眠り続けたり幻覚が見えたりします。

βエンドルフィンは、脳の中でこのアヘン受容体と結合し、鎮静作用や快楽反応を引き起こします。

これは、極端な痛みや苦しみに襲われたときに、それを少しでもやわらげて、正常な行動が維持できるようにしている反応です。これは、生き延びるための反応ですが、苦しみを感じないことをいいことに、仕事や勉強をやり続けていると、脳と体は危険な状態になります。

過度に仕事をし過ぎて突然倒れる危険性が、このβエンドルフィンと関係していると考えられているのです。

２０１５〜２０１６年に、１１７社、約6万人に対して、残業時間とストレス反応の関係が調査されています。

この調査では、「職業性ストレス簡易調査票」のスコアが用いられ、企業規模や業種の違いを調整したうえで、ストレス反応を比較しています。

抑うつ感、疲労感、不安感、イライラ感、身体愁訴（原因がはっきりしない体の不調）の5項目で、残業時間が長いほどストレス反応が強い、という優位な関係が認められています。

5項目の中でも、疲労感は、残業時間との関連が非常に強く認められました。連続して働く時間が長いほど、疲労感が増すのは、当然のことだと思います。

ところが、残業時間が61〜80時間の男性、つまり**残業があまりにも長過ぎた人は、**

疲労を感じながらも活気が高いという結果が出ています。

あまりに残業時間が長いと、働き続けることに陶酔を感じるようになるのです。これには、βエンドルフィンが関係しているのではないか、と推察されています。

βエンドルフィンの作用で、本人は活気の低下を自覚していなくても、体に負担がかかっていることは変わらないので、そのまま働き続ければ心臓疾患やうつ病を発症する危険性があります。

過度な集中を「勉強できた」と考えずに、マインドワンダリングが起こる15分、血流が滞る30分、集中力の限界である90分を参考に、一区切り入れて、総合的なパフォーマンスを上げましょう。

「勉強していない時間」がなければ応用問題は解けない

せっかく勢いに乗ってきたところで勉強を区切るのは、もったいないと感じるかもしれません。しかし、勉強ボディは、ただひたすら勉強に臨んでいるだけではつくられません。脳にとっての勉強は、勉強していない時間に行なわれています。

勉強が成就した結果生まれるひらめき。そのひらめきが起こる段階を知ると、過集中より、勉強を切り上げたほうが、効率が良いことがわかります。

ひらめきが起こるには、4段階あると考えられています。各段階と、そのときの脳のネットワークを記します。

【①準備】課題に取り組んでいる最中：セントラルエグゼクティブネットワーク

【②羽化】勉強を終えて別のことをしている：デフォルトモードネットワーク

【③ひらめき】知識がつながってわかった：セイリアンスネットワークにより、デフォルトモードネットワークからセントラルエグゼクティブネットワークに切り替わった

【④検証】わかったことを確かめて整理する：セントラルエグゼクティブネットワーク

第3段階で起こるひらめきは、第2段階でデフォルトモードネットワークが使われ

たことを経て、セントラルエグゼクティブネットワークに切り替わったときに起こります。

ずっと勉強を続けていると、第1段階に留(とど)まっているだけになってしまいます。これでは、丸暗記はできても応用問題が解けるようにはなりません。

応用力をつけるには、このひらめきの4段階を効率良く踏んでいくことが重要なのです。

「水回りの作業」を勉強に組み込むと解決法をひらめく

デスクにかじりついて考えていても解けない問題が、「あきらめてシャワーを浴びていたら、ひらめいて解けた」という経験をする人は多くいます。これが、ひらめきの段階に合わせて行動を変えた例です。

シャワーで体が温められたり、水圧を体に感じた情報が大脳の島皮質に届けられて、セイリアンスネットワークが起動すると、脳のネットワークの切り替えが起こります。

これがひらめく条件です。

つまり、課題に取り組んだら、いったん区切って頭を使わない作業をして、その作業が体の感覚を伴うものであれば、ひらめきが起こりやすいということです。

体の感覚が伴う作業として、日常的に体験しやすいのが「水回りの作業」です。

トイレ、入浴、洗顔、歯磨き。この最中には、皮膚や内臓を介して原始的な感覚情報が脳に届けられるので、セイリアンスネットワークが起動しやすく、アイデアがひらめきやすいのです。

運動も体の感覚を伴います。筋肉の動きを感知する筋感覚は、今の体の情報を逐一(ちくいち)脳に届けています。

イスから立ち上がってブラブラ歩いたり、外を走ってみれば、筋肉の伸び縮みの情報がネットワークの切り替えに寄与します。

トイレ、入浴、歯磨き、運動中は、ぜひ、スマホやタブレットによる視覚情報をオフにしましょう。

「やる気のムラ」をなくすホメオスタシスの原理

　気分に任せて勉強をし続けずに、セルフトレーナーの助言で良きタイミングで切り上げてみると、やる気のムラに変化が出てきます。

　下の図は「ホメオスタシスの原理」を表してします。

　縦軸は活動量で、横軸は課題設定を変え始めてからの時間軸です。

　報酬系やランナーズハイで**過度に集中した後、脳は過度な低活動になります。**

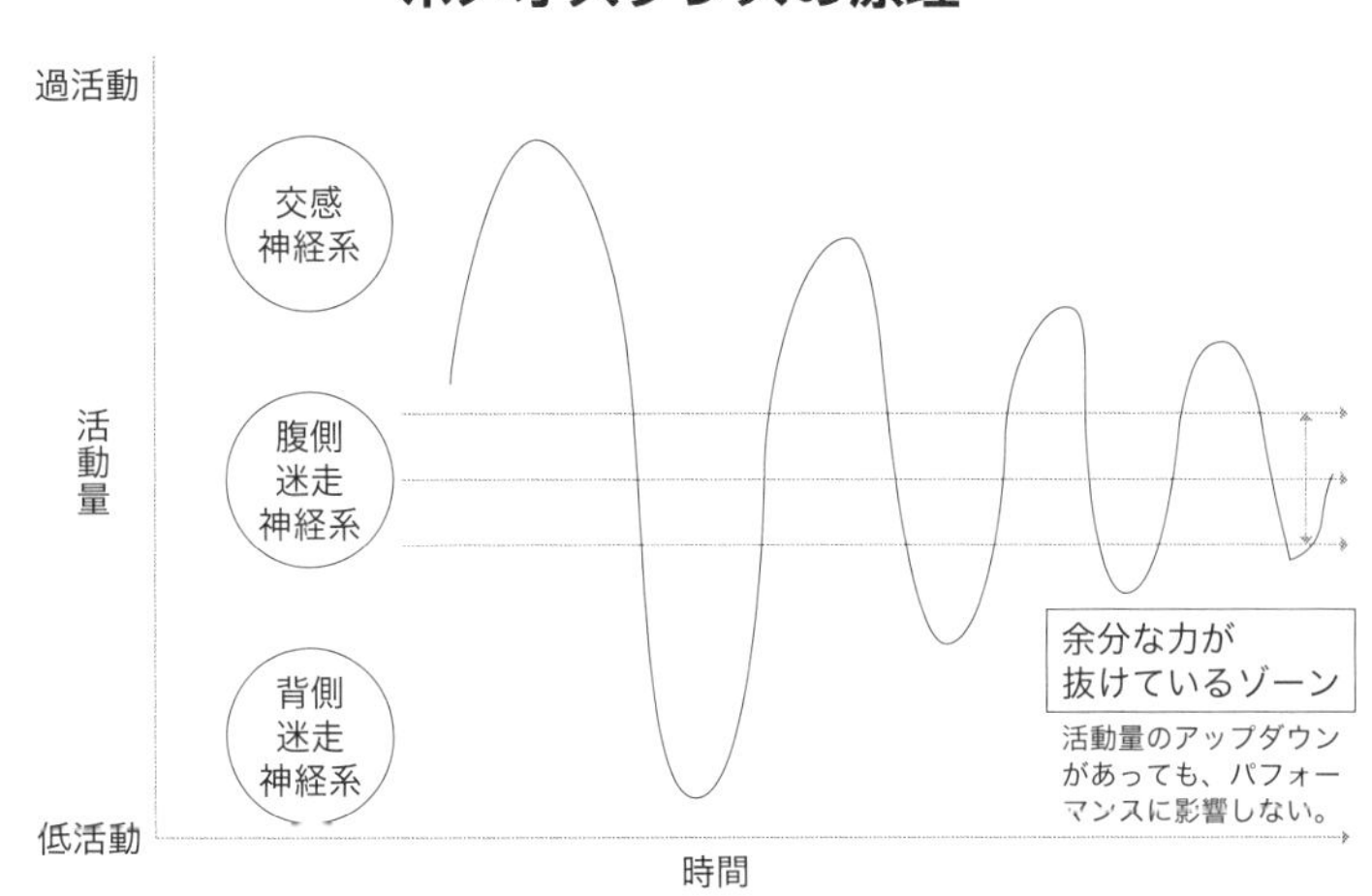

この低活動はやがて終わり、また活動量が上がっていきますが、報酬に頼ったり、過度に集中する方法を変えなければ、同じことを繰り返します。

過度な集中に任せて働き続け、体調を壊して休職することになった人には、自分への課題設定の方法を変える練習をしてもらいます。

休職中は、単純に体調の回復を待つ時期なのではなく、復職後に、違う働き方で臨めるようにモデルチェンジをする時期だからです。

実際の例を見てみましょう。

◎過集中した後の立ち直りは2週間もかかる

大手ＩＴ企業に在籍するＣさんは、昼夜を問わず仕事をし続けて体調を崩しました。そこで、一定期間休職して、クリニックに通うことになりました。体調を崩したのは「仕事が忙し過ぎる」というのがＣさんの言い分です。

乱れた睡眠のリズムから整える段階で、「昼も夜もなく仕事をしなければならないので、同じ時間に眠ることはできない」とお話しされていました。

自律神経の仕組みとホメオスタシスの原理を学んでもらうと、Ｃさんの発言は変わっていきます。

「仕事で知的作業に没頭すると、休日には1日中寝込んでいました。寝たり起きたりを繰り返して何もしていませんでした。

そして、また仕事になると徹夜が続いていました。

でも、よく考えてみると、徹夜をしていたのは眠らずにやれるという感じがあったからで、必ずしも夜通し作業をしなければいけないわけではなかったと思います。

なんか、まだやれるっていう限界を更新しようとしていたような感じで、それがいいことだと思っていました」

こんなことを話してくださったCさんには、読書や調べ物をしたときに、気分が乗ってきたタイミングで、意図的に一旦切り上げることをしてもらいました。

セルフトレーナーに登場してもらう練習です。

すると2週間後には、「感覚的には（まだ作業できるので）物足りない感じがしますが、その後の休日でダルくて横になることはあっても、何もしないっていうことはなくなりました」と変化が出始めました。

さらに2週間後には、

「客観的にタスクを切り上げてみると、結果的にそのほうが仕事を終えられています。必ず5時間は決まった時間に眠るようにしているので、体調もいいです。日中は無理に集中している感じはなく、でも眠くなったりもせずパフォーマンスが上がっていると思います」

と、おっしゃるほどになりました。

ホメオスタシスの原理では、高代謝と低代謝を行ったり来たりすることは変わりませんが、課題設定を変えていくと、波の振り幅が小さくなっていきます。最終的には、**集中しても、やる気がなくなっても、どちらにしても勉強はできているというゾーンに入ります。**

これは、外来での経験則ですが、過度な集中から波の振り幅が移行する周期は2週間です。

2週間ごとに次の波になりつつ、波の振り幅が小さくなっていくように改善します。

生体リズムには、サーカダイセプタンリズムという2週間1単位のリズムがあり、これに従って、自律神経の調整は改善していくのではないか、と考えられます。

競争には、成長型と消耗型がある

さて、ここからは、第2章の「理想や現実の勉強環境」について述べた部分で、「競争」モードに当てはまった人に、競争を勉強ボディづくりに結び付ける方法をお話しします。

競争相手ができると勉強がはかどる、という経験は誰しもあると思います。

本書では、交感神経系が活発になっている状態を「競争」モードとしていますが、競争が私たちにどのように作用しているのかを整理しておきましょう。

競争と自律神経の関係を調べた実験があります。

この実験では、ゲームを使用し、対面に競争相手を置いてゲームしたときの心拍や汗などの自律神経の活動を記録しています。

対面にいる相手は、被験者に対して何かを話しかけたりすることはなく、ただ競争相手としてゲームをしている設定です。

競争相手がゲームに取り組む様子は、しぐさや表情・音などの非言語の情報として被験者に届けられ、それが自律神経の反応として表れます。

結果は、競争している最中は、やはり交感神経系の活動が高まりました。被験者はこのとき、「やる気になる」などのポジティブな感情が高まっていました。

そして、その後、競争をする設定ではなくゲームをしても、そのゲーム後に交感神経系の活動が活発になりました。

このことから、競争相手が認知されると、競争そのものだけでなく、競争相手の存在自体が、腹側迷走神経系の抑制を外し、交感神経系を前面に押し出す作用を生み出すと考えられます。

競争相手がいるとやる気になるならば、課題成績を順位付けされるなど、常に競争する設定になっているほうが勉強しやすい、ということなのでしょう。

実際に、大学受験を目指す高校では、毎週のようにテストの成績でランキングを出す設定を用いていることもあります。

競争は、果たして勉強に最適な環境なのか――。それを調べた研究では、競争のとらえ方が重要であることが示唆されています。

◎「大学受験における競争には、どんな意味があるの？」

大学生289人に対して、「大学受験における競争には、どのような意味や機能があると思うか」という質問調査が行なわれています。

回答の分析から、2つの因子が得られています。ひとつ目は、「競争を通じて、状況に適応する力や自律する力を身につけることができる」という**「成長型競争観」**。

2つ目は、「競争することで神経が疲れる」「周囲に気配りができなくなる」といった、心身の消耗や友人関係の悪化に関する**「消耗型競争観」**。

競争には、「自己成長」と「ストレスの蓄積」という、2つの側面があることが示されています。

これを踏まえて、受験を控えた高校2年生に対し、「成長型競争観」と「消耗型競争観」の双方を含む質問項目に対して、「そう思う」から「そう思わない」まで5段階で回答する調査が行なわれています。

その結果、競争は学習意欲の向上や学習の促進など、自身にとって有益だとする「成長型競争観」が強く意識されていました。

学力の差がある４つの高校を対象にした調査でしたが、成長型競争観の学校間の差は小さく、学級間でも差がほとんど見られませんでした。

このことから、学力水準と競争観とはあまり関係がないと考えられています。

受験を控えているという立場での回答というバイアスはあるものの、概ね競争は自己成長につながるという結果でした。

さらに、学習の動機についての回答と合わせて分析されると、次のようなことが明らかになっています。消耗型競争観を強く持つ高校生ほど、外的な学習動機が高い傾向がありました。つまり、外発的動機付けです。

一方で、**成長型競争観を強く持つ高校生は、学習の価値を自分の中で見出し、受験を「乗り越えるためだけの学習」だととらえていない傾向がある**、ことが示されました。こちらは、内発的動機付けです。

ここでもやはり、**内発的動機付けが必要**だということがわかります。

「勉強ボディをつくる＝内発的動機付け」ができていれば、「競争相手が出現したときに、それを自己成長の機会ととらえる」ということです。

第４章ポイント

勉強がはかどる「セッティングの技術」

- 効率の良い勉強を実現するカギは、「セントラルエグゼクティブ」と「デフォルトモード」のネットワークの切り替えにある
- 目の使い方がうまい人は、脳の働きをうまく配分させられる
- 人は16分に1回、勉強以外のことを考えてしまうから15分に1回、対策をする
- 情報収集と整理を効率良く行なうために、休憩中にマンガやSNSを見ない
- 同じ姿勢をとり過ぎると、脳の活動は低下する
- 「恐怖」も「安全過ぎ」も、勉強できない原因になる
- 「1コマだけ増やすルール」に慣れると、勉強が長続きする
- 教材の順番に沿って勉強すると脳の覚醒レベルが下がる
- ご褒美・罰を設定すると、ドーパミンニューロンの活動が上昇しなくなる
- 4つの要素が、勉強効果を高める内発的動機に影響を与える
- 勉強のランナーズハイは総合的パフォーマンスを下げる
- 内発的な動機を持つと、競争を成長につなげられる

セッティングで、
勉強できるとき、
できないときの
波がなくなる

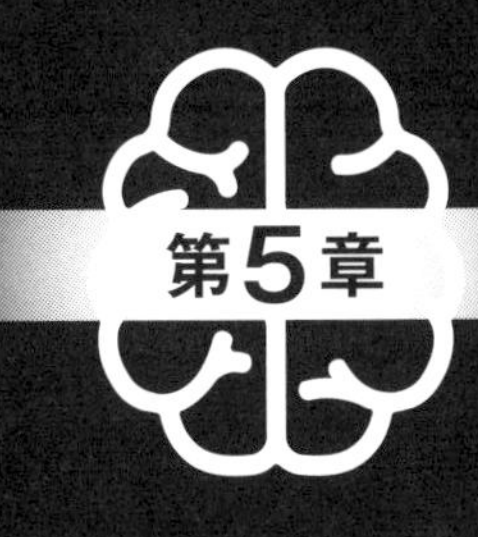

第5章

知識の理解を深める【アウトプット】と挫折防止策

わかったつもりにならない
「言語化」「文章化」の技術と、
「勉強のお悩みQ&A」

●この章の目的

アウトプットの技術を身につける

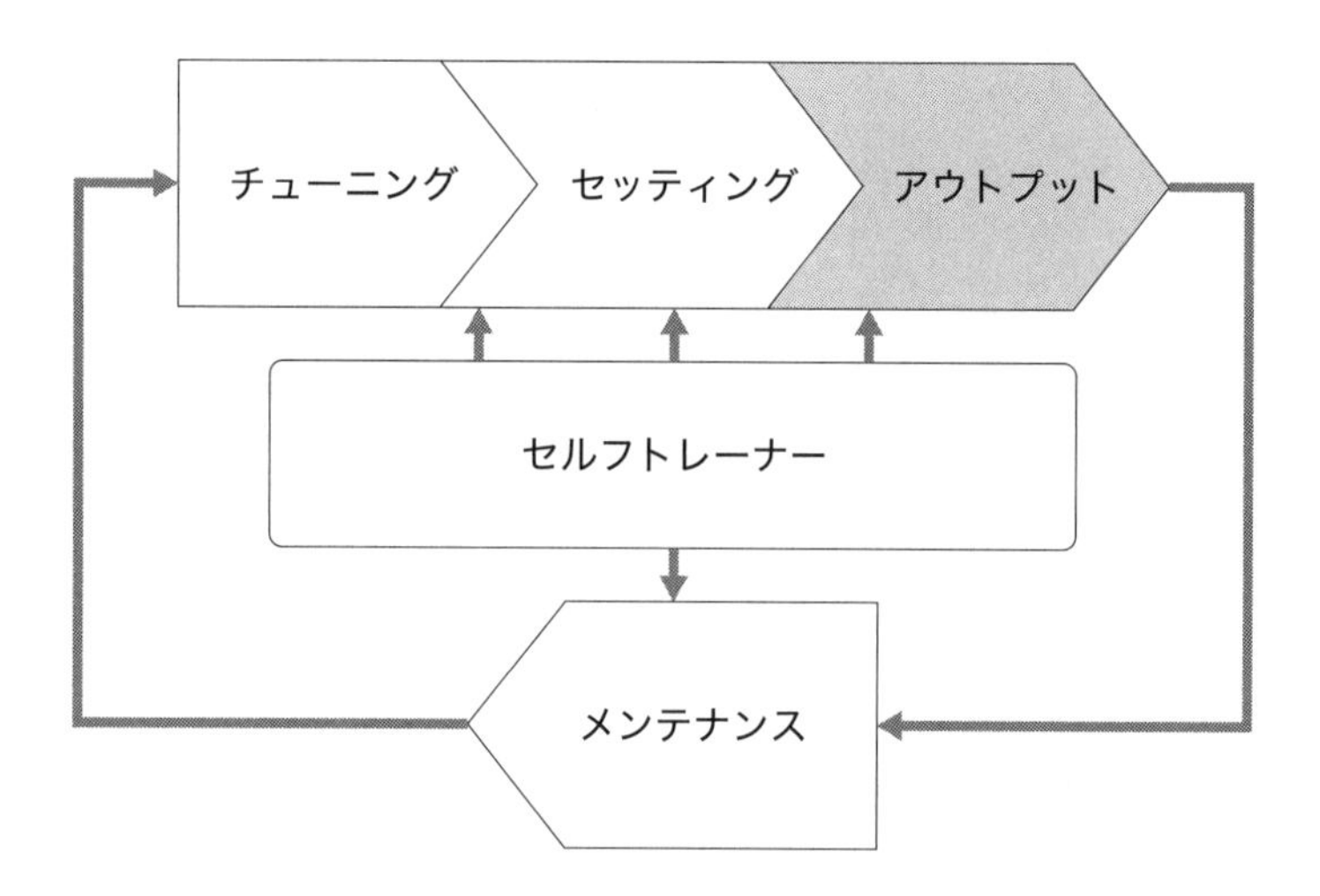

アウトプットがなければ、知識もスキルも失われていく理由

「知識を忘れないように定着させたい」
「学んだ知識やスキルを応用して使いこなしたい」
こんな希望を持つこともあると思います。

勉強で学んだ**知識やスキルは、アウトプットをすることで、自分のものになっていきます。**

まだ知識を正確に理解したわけではないから、人に話したり、文章化はできないと考えてアウトプットせずにいると、知識やスキルは失われてしまいます。

なぜなら、脳内の活動はすべて、体を動かす「運動」を目指しているからです。

生物として、環境に適応するために、生き残るために、どのように運動を変化させ、

向上させるか――。

これが、勉強の目的です。

ですから、勉強したことは、必ずアウトプットしてください。人に話すことに抵抗があるのならば、ひとり言でも、メモを書くだけでもいいのです。

この章では、言語化や文章化をより有効に行なう方法をご紹介します。

後半では、勉強に関して起こる問題に対して、解決策を提案しながら、ここまでのまとめをします。自分の体験と重ね合わせて、ぜひ役立ててみてください。

「手書きでメモ」「パソコンでメモ」、効果があるのはどっち?

メモをとることは、最も手軽にできるアウトプットです。

勉強している内容を、手書きでメモする場合と、パソコンでメモする場合がありますが、メモの媒体が違えば勉強の効果は変わります。

大学生67人を対象に、講義の内容のメモをとる実験が行なわれています。

この実験では、「手書きでメモをするグループ」と「パソコンでメモをするグループ」に分けられました。

講義のあと、「内容の事実関係を問う問題」と「概念を理解しているかどうかを問う問題」の2種類を含むテストが行なわれ、2つのグループの成績が比較されました。

その結果は、講義内容の事実関係を問う問題では、2つのグループで差はありませんでした。

しかし、概念理解を問う問題では、**手書きでメモをしたほうが、成績が有意に良い**というものでした。

メモの内容が分析されると、パソコンでのメモは、手書きのメモに比べて、単語数が78・5%も多く、メモ内容は講義内容と有意に重複していました。

つまり、パソコンでメモをすると、講義内容をそのまま入力する傾向になるということです。

そこで、パソコンでメモするグループに、講義内容を一言一句そのままメモするのではなく、「自分の言葉で書くという条件」を付けたグループを追加して実験が行なわれました。

結果は、成績の向上は見られず、メモの内容も自由にメモをしたグループのものと変わらず、講義内容がそのまま書かれていました。

この実験から、パソコンのメモでは、教科書の丸写しになってしまい、内容の暗記には役に立つものの、意味を理解することには貢献しないということがわかります。

思い返してみると、講義資料に書き込まれた手書きのメモには、講師のセリフそのままではなく、自分なりの解釈や疑問、結論が書きこまれます。

手書きのメモでは認知活動に余裕があるので、内容を抽象化したり、過去の自分の知識と照合することができるのです。

黒板やホワイトボードに文章や図を描きながら、その単語とは別の言葉を話すことはなんなくできます。「**手書きの認知活動は負担が少ない**」ことの表れです。

一方で、パソコンの入力では、単語数は圧倒的に多く入力できるものの、認知的な負担が大きくなります。

試しに、文字を入力しながら別のことを話してみると、話すことと入力することを同時に行なうのはかなり難しいということがわかります。

パソコン入力は、認知的な負荷が高いので、講義メモ中に、他のことに思考を巡らせる余裕がないのです。内容の事実関係を整理するならば、パソコン入力でもいいですが、学んだことを使いこなしたければ、ぜひ、手書きでメモをしてみましょう。

メンタル文法で〝脳の容量を節約〟しながら〝新しい知識を吸収〟する

勉強で新しい知識を得ているときは、普段使わない言い回しや、自分が知らない言葉が出てきます。このとき、脳内の神経は、新しい言葉や言い回しをそのまま再生、記憶しているわけではありません。

記憶しているのは、その文のパターンや、パターンとパターンの組み合わせで、これらで自分が使う言葉の規則である「メンタル文法」をつくっています。

メンタル文法の機能で、私たちは新しい表現を自分の言葉として使うことができるようになります。

たくさんの人の言葉や句、文章の構成を会話や講義から吸い取り、それらを**脳内で一般化して記憶し、そこに覚えた単語を埋め込むことで、言葉の表現を広げている**のです。

メンタル文法とは、脳が、見聞きした文の構成を自動的に学習したものです。

メンタル文法は無意識で構成されますが、これは、自分が新しい表現を使うことが前提になっています。

覚えたことをアウトプットしなければ、メンタル文法の機能は活かされません。

アウトプットをすると、脳が自動的に学習した文章のパターンに、別の単語を入れ込んで、自分なりの文章をつくることになります。

言語化でアウトプットされると、その構文の規則が通用しているかが検証され、その誤差を修正したメンタル文法がつくられます。つまり、アウトプットするたびに、洗練されたメンタル文法になっていくのです。

脳にとって、メンタル文法をつくる最大の利点は、容量の節約です。

そもそも脳は、エネルギーの消費が大きく、とても燃費の悪い内臓です。容量を増設することはできないので、省エネを図るために、使われる神経をパターン化する戦略をとっています。このパターン化でつくられるのが、メンタル文法です。

メンタル文法の機能は、既存の文章構成に新しい単語を埋め込んで使用することができるので、膨大（ぼうだい）な知識を得ても、容量オーバーを防ぐことができます。アウトプットが勉強に欠かせないということが、おわかりいただけると思います。

覚えた知識で一時的に使われた記憶容量を、既存のパターンに組み込んで容量を空ける。アウトプットによって、空き容量がつくられるので、次の知識を入れることができるというわけです。

「時間」か「字数」を制限すると“洗練されたメンタル文法”が出来上がる！

メンタル文法は無意識の自動的な機能ですが、それに任せっきりにしていると、出来上がる文法の精度や表現の豊かさは向上しません。

メンタル文法の精度が高いほど脳の空き容量は大きくなり、新しい知識を吸収しやすくなります。そこで、意図的にメンタル文法を操作してみましょう。

洗練したメンタル文法をつくるために、アウトプットに制限を加えてみましょう。

制限するのは、「時間」か「字数」です。

話す内容をよく理解できているほど、短い時間でわかりやすく説明できるものです。同様に、短い時間、少ない字数でアウトプットを試みるほど、説明する内容への理解も深まります。メンタル文法がつくられる過程を、そのまま内容理解に利用することができるのです。

まず人に話してアウトプットする場合は、「1分で内容を話す」というように時間制限を設けてみましょう。

すると、「最初の30秒で概要を話して、残り15秒で具体例を出して……。まとめのひと言は5秒でいけるかな」と頭の中で構成を組み立てるようになります。

実際に話をしてみると、どの話にどのくらい時間がかかるのかがわかり、スッキリ説明できた部分と回りくどい表現や、本筋から外れる説明になった部分があることに気づきます。

スッキリ説明できた言い回しをメンタル文法として採用し、しっくりこない部分は次に話すときに修正します。これを繰り返せばメンタル文法は洗練され続け、空き容量も効率良くつくられるので、勉強の理解が加速します。

また、文章でアウトプットするならば、字数制限を設けてみましょう。

SNSで発信すれば、ツイッターならば140文字と制限されて、「問題を投げかけて、内容を書いて、結論かな……」と組み立てながら、残り字数のカウントができます。

情報の拡散や集客には、画像を貼り付けて直感的に視覚に訴えるのが有効ですが、自分の勉強を推進するためと割り切って、あえて文章のみでSNSを使ってみましょう。

字数が制限された文章のみのアウトプットならば、ただ情報発信するだけではなく、自分の中に知識を溜めていくことができます。

セルフトレーナーとして「今日は○○した」と言語化する

アウトプットせずに勉強を終えて、「よし！　これでわかったぞ！」と思ったとき、セルフトレーナーは消え去り、当事者としての自分が前面に出てきます。交感神経系が高代謝状態をつくり、知識を得て一段上の自分になれた万能感や快感を得ます。これは、恐怖や競争に打ち勝ち、苦しみに耐えてつかんだ達成感です。

このときの気分は素晴らしいですが、「今の自分」へのモニターはすべて停止します。すると、次の勉強でうまくいかないことに直面したときに、からだモニターが働かず、うまくいかない原因を「体」ではなく「心」に求めてしまいます。するとし、無理にテンションを上げたり、ご褒美を設定してしまい、ムダに疲弊(ひへい)することになります。

勉強で大切なのは、再現性です。たまたま集中できたのではなく、集中できた環境を次の場面でも再現できることで、勉強は継続できます。再現性には、第三者目線のセルフトレーナーの存在が欠かせません。

勉強をアウトプットで終えるのは、セルフトレーナーを消さない役割があります。

アウトプットで終えると、出来上がったものへの達成感はありますが、自分に対する万能感や、自分の功績だという感じがわきません。どこか他人事(ひとごと)のような、感じがします。

この状態が、今の体をモニターし続け、次の勉強にも安心して取り組める勉強ボディです。

「勉強の功績者は、あくまでも環境を設定してくれたセルフトレーナー。自分はそれに従ったおかげで、のびのびと能力が発揮できた」

このような感覚が持てるのが理想です。

「今日は勉強できなかった」と感じた日は、アウトプットしていないはずです。とにかく、生物はアウトプットしないと、知識やスキルを得る目的がなくなってしまいます。

逆に、アウトプットさえしていれば勉強の目的は失われないので、勉強してもしなくても、「今日は〇〇した」と言語化しましょう。

すると、その〇〇をもう少し上手にすることが勉強の目的になります。脳と体は、上達のための情報を集めて、うまく実行できる体をつくります。

これが勉強ボディの循環です。「今日は何もしなかった」という言葉を使うのは、もうやめましょう。これは、自分に備わった生物としてのスペックを台無しにしてしまう言葉です。

アウトプットするときに、課題の量がこなせなかった場合は、やれた課題が多く見えるように単位を変えてみましょう。

ページ数はそんなに進まなかったとしても、問題数にするとそれなりに進んだ感じがする。

このように、セルフトレーナーとして当事者に成果を示すときに一工夫すれば、「たくさん進まないといけない」という恐怖からフリージングする反応を防ぐことができます。

セルフトレーナーとして声をかけるときは、「**結果よりプロセス**」「**実行動より自律性**」「**他者とは比較しない**」という、内発的動機付けのポイントを押さえましょう。

「今日は取りかかりがスムーズにできた」「気が散る前に、途中で休憩を入れて休憩後も集中できた」

このようにアウトプットすれば、明日も楽しく勉強できます。

勉強のお悩み相談室「こんなとき、どうする？」

勉強をしていると、様々な悩みが生まれてきます。小さな悩みを解決しないで放置すると、勉強嫌いになったり、苦手意識を持つようになってしまいます。

小さな悩みとは、たとえば次のようなことです。

「やるべき教材の多さに圧倒されてしまう」
「勉強内容をリストアップすると、それだけでやる気を失う」
「勉強より娯楽を優先してしまう」
「エンジンがかかるまでに時間がかかる」
「自分ひとりだと、だらけて何もしなくなる」
「メールやSNSの連絡が気になってスマホを見てしまう」

「勉強ができなかったときに罪悪感を抱えてひきずってしまう」

これらは、実際に寄せられた悩みで、勉強ボディをつくることで解決したものです。解決策はすべて、脳を消耗させず、最適な覚醒度に調節するための方法です。似た悩みを持つ人も、特に悩んでいない人も、自分が勉強する場面を思い浮かべながら読んでみると役立つと思います。

【お悩み①】
「教材を広げて並べて見るだけで疲れてしまい、席から離れてしまいます」
☞こんなとき、どうする？

通信教育や新しい勉強を始めるとき、これから取り組むカリキュラムや必要な教材を脳にすべて見せるのはやめましょう。

これからやらなければならない課題の見通しを立てようと、すべての教材を見せられると、**脳はそのたくさんの課題を難易度の高い「冒険」ととらえてしまい、覚醒度**

が下がってしまいます。

脳が最適な覚醒ゾーンに入るのは、安心感がつくられて腹側迷走神経系が働いている勉強ボディのときです。

新しい教材を前に、期待感からすべて広げてしまいそうになりますが、脳に与えるべきは安心感です。

自分が講師で、受講生に安心感を与えようと思ったら、どんな行動を取りますか？きっとすべての教材を見せようとはせず、まずは出だしの課題に少し手をつけさせて、「これならできそう」という感覚を得させようとするはずです。

自分の脳にとっても、同じように安心感を与えてみましょう。

教材は全部並べず、**1冊だけを開いたら、知っていることが書いてある問題に答えを書き込んでみましょう。**

見るだけの視覚情報ではなく、その視覚情報から腹側迷走神経系で勉強ボディがつくられ、実際に手を動かして問題を解く。

この一連の小さなサイクルを回してあげると、脳は安心感を得て自然に次の問題に手をつけたくなります。

【解決策】「課題をひとつずつ見る」

◇
◇
◇

【お悩み②】
「後どのくらいの分量をやらないといけないかをリストアップして、それで疲れてやめてしまいます」
☞こんなとき、どうする？

残りの課題を数えているとき、勉強に集中できているでしょうか。集中の最適ゾーンに入っていないことのほうが多いはずです。

残りの課題を見ようとしたら、セルフトレーナーの出番です。いったん席を立つように促しましょう。

そして、チューニングします。残りの課題を見るのは、脳が不確定な未来の予定について考えているマインドワンダリングになっている証拠です。

集中しているエグゼクティブネットワークよりも、エネルギーを消費していますので、それだけで疲れてしまうのもしかたありません。

マインドワンダリングを防ぐには、2種類の方法があります。

ひとつは、**「はっきりとデフォルトモードネットワークを起動させる」**こと。

もうひとつは、**「よりリアルな感覚を脳に届けて、エグゼクティブネットワークに引き戻す」**ことです。

もし、勉強し始めて90分以上経過してから残りの分量を計算し始めたら、それはエグゼクティブネットワークの活動限界のサインです。

席を立って別の場所で、座ったまま目を閉じてみましょう。目を閉じると、脳波がゆっくりした波長に変わり、デフォルトモードネットワークが起動します。

これは、計画仮眠という方法です。眠気が出る前に、座ったまま、終了時間を言語化して目を閉じます。

「5分後に起きる」という感じで、デフォルトモードネットワークの使用を終える時間を言語化しておくと、その少し前に、交感神経系の働きで心拍数が上がっていき、目を開けたときにエグゼクティブネットワークに切り替わります。

もし、勉強し始めからすぐに残りの量が気になってしまっていたら、脳に届ける体の感覚を強めてみましょう。指サックをつけてみたり、重いひざかけを使ってみます。

マインドワンダリングでは、実感覚の情報よりも、前頭葉の思考が強く活動しています。

実際の感覚を増強して脳の後方にある後方連合野に届けると、前頭葉の過剰な働きは抑制されて、エグゼクティブネットワークが起動します。

【解決策】計画仮眠をする。または、はっきりとした体の感覚を届ける

◇　◇　◇

【お悩み③】

「勉強の後でやろうと思っていたことを、先にやり始めてしまいます」

☞こんなとき、どうする？

勉強を終えたら見ようと思っていた、動画やマンガなどを先に見始めてしまうというときは、それがご褒美に設定されていることが問題です。

具体的なモノがご褒美に設定されると、設定したときのみドーパミンが増えて、実際の勉強ではドーパミンが分泌（ぶんぴつ）されず、勉強する働きが強化されません。

しかも、ご褒美であること自体にドーパミンが出ているので、動画やマンガには注意が向かず、内容も覚えていなかったり、楽しめていないはずです。

勉強も動画もマンガも両立するために、モノに着目せず、ひとつ上の概念をご褒美に設定して、前頭葉の内側領域の報酬系を使ってみましょう。

「動画を観て思いっきり笑う」「マンガで一生懸命な人を見て勇気をもらう」、このように設定すると、頑張ることや楽しむこと、というカテゴリーに勉強を引き上げることができます。

感動したり、笑顔になれば、腹側迷走神経系の働きで、他のことにも興味がわいて勉強意欲が高まるはずです。

【解決策】ご褒美から何を得たいかを設定する

◇
◇
◇

【お悩み④】
「勉強し始めに頭が働かず、乗ってくるまでに時間がかかってしまいます」

こんなとき、どうする？

イスに座って気分が乗ってくるのを待つより、一旦席を立って勉強ボディをつくり直してから席に戻ってみましょう。

気分が乗らないのは、体からの情報が途絶えてしまっているのが原因です。

体から「今、どうであるか」という鮮明な情報を届けるには、**筋肉の感覚を使うことが手っ取り早いです。**

運動が頭の働きを高めるということは、認知症予防の研究をはじめとして、様々な研究で明らかになっています。

たとえば、脳の前頭前野が司るワーキングメモリに着目した研究では、低強度の運動で血流量が増大することが明らかになっています。

この研究は、大学生を対象に、10分間のジョギングが用いられ、近赤外分光分析装置（ＮＩＲＳ）で前頭前野が賦活（ふかつ）する課題をしているときの血流量の測定がされています。

運動する日と運動をしない日を設けて、運動する日は、朝運動をして15分間休憩した後、運動しない日も同じタイミングで計算処理テストを行ない、成績が比較されました。

その結果、運動した日はしていない日に比べて、有意に成績が高い結果が得られています。この実験では10分間のジョギングが用いられていますが、ジョギングできなくても、室内でできる手頃な運動でも充分です。

運動の目安は、3メッツ以上。

メッツとは、運動強度の単位で、安静にしているときを1として、それに比べてどの程度のエネルギーの消費があるかを数値で示したものです。

3メッツの運動とは、歩いたり、軽い筋トレをするという程度のことです。立って家事をするくらいでも充分です。

軽いジョギングは6メッツ。階段の上り下りや、ヨガやインストラクターの動画を観ながらエクササイズをする程度の運動です。

このくらいはっきりした運動強度のほうが、体に情報が送られやすいので、勉強前に体を動かすときは、6メッツくらいの負荷をかけることを目安に運動をしてみましょう。

【解決策】6メッツ程度の運動をする

【お悩み⑤】

「ひとりだとだらけて、勉強することができません」

☞こんなとき、どうする？

勉強している人を視界に入れてみましょう。ただし、これは競争相手ではなく、他人の勉強行動を自分の脳内に取り込むことが目的です。

腹側迷走神経系が情報を届ける島皮質を中心に、前帯状回など複数の領域でつくられるミラーニューロンシステムがあります。

ミラーは鏡で、ニューロンは神経です。目にした人のしぐさを脳内で再現するため、このような名前がついています。

たとえば、向き合う相手が手を振っているのを見るだけで、あなたの脳でも自分が手を振っているときと同じような、脳領域が活動するのです。

「笑顔の人を見れば自分も自然に笑顔になる」というように、相手のしぐさが伝染していることで腹側迷走神経系による信頼モードがつくられる、という側面があります。

「人と一緒に勉強するほうがはかどる」というのは、**勉強している人の視覚刺激がミラーニューロンシステムにより、自分の脳内で再現されることに由来**しています。

さらに、向かい合った人の映像を脳内で再現するには、左右を反転しなければならないので、横並びになっていたほうが、脳にかかる負担が少なくなります。

カフェなどで席を選ぶときは、遠くにいる勉強している人と横並びになる向きで座れる席を選びましょう。

ミラーニューロンシステムは、映像に対して特に働きます。ドラマや映画の影響を受けやすい人は、出演者が勉強にはげむシーンを見るだけでも、勉強行動を自分の脳内に取り込むことができます。

ただ、注意すべきことがあります。ミラーニューロンシステムは、「必ずしも望ましい人のしぐさだけを再現するわけではない」ということです。ダラダラしている人が目に入れば、それが忠実に再現されます。この不都合を回避するために、脳にはもうひとつ社会性を担うシステムがあります。

それはメンタライジングネットワークです。両者は、ニューロセプションとして上側頭溝を起点に並列に存在しています。

なんでもマネしてしまうミラーニューロンシステムに対し、メンタライジングネットワークは、**自分と他人を区別した上で、第三者的な立場で他人に共感します。**

メンタライジングネットワークも、セルフトレーナーの担い手と言えます。勉強しないことで安心し合う集団に入っていたら、第三者目線で視界に入る人を変えてみましょう。身の回りで、良い姿勢で集中している人や、笑顔の人を見つけて、その人と横並びになって勉強してみましょう。

【解決策】勉強している人と横並びに座る

【お悩み⑥】
「勉強中に、メールの返事が気になったり、別の用事が頭に浮かんでついスマホを見てしまいます」

こんなとき、どうする？

◇　◇　◇

勉強しながらも、「メール来てるかな」「そういえば買いたい物があったから調べよう」などと気がそれる。交感神経活動が活発になっていると、刺激に対する瞬発力が働くので、すぐに気がそれてしまうこともあります。ただ、注意がそれてしまうのを自制して、見たい画面を見ずに我慢する、というのはなかなか難しいことです。

そんなときは、気持ちのコントロールではなく、直接、脳にリアルな刺激を与えて課題に注意を引き戻してみましょう。

お気に入りの香りのアロマオイルを持っていたら、それをティッシュに1滴たらして手元に置いて勉強してみましょう。

勉強に集中できているときには、その香りにあまり注意が向きませんが、考えがそれたり、別の画面を見そうになったときに、「ふっ」と香りがしてきます。

「あれ？　今、別のことを考えていたぞ」と、香りの効果でそれていた意識に気がつき、勉強に戻ることができます。この気づきが、セルフトレーナーの仕事です。

香りによる注意の制御は、次のような仕組みで行なわれます。

香りに反応する嗅覚は、脳の中の扁桃体に情報を送ります。扁桃体は、刺激に対して注意を向け、それが自分にとって快か不快かを判断する部位です。この扁桃体は、前頭葉の内側領域と綿密に連絡を取り合っていて、やたらに働かない仕組みになっています。通常は、前頭葉の内側領域がそれる注意を抑制しているわけです。

ところが、脳の覚醒度が低下し、前頭葉内側領域の抑制がはずれて注意がそれてしまった。

その瞬間、**嗅覚からの情報が届けられると、嗅覚—扁桃体—前頭葉の内側領域の連携が再起動し、勉強に注意を戻すことができる**というわけです。

香りでセルフトレーナーを目覚めさせれば、勉強ボディへのチューニング、セッティングのし直しもでき、ムダな疲労を防ぐことができます。

【解決策】手元に香りを置く

【お悩み⑦】
「勉強ができなかった罪悪感で心が苦しくなります」

こんなとき、どうする？

「今日、何もしなかった」と罪悪感に苦しむと、体は恐怖でフリージングしています。

これは防衛反応なので、こんなときに最優先するのは、自分が快適であることです。

「何もしなかった」ことは、快適だったでしょうか。もし、疲れがとれて快適に過ごせたのであればそれが一番良い過ごし方です。

もし、快適ではなかったのならば、自分が心地良く感じることを、ひとつだけ実践してみましょう。

ゆっくりお風呂に入る、ストレッチをしてボディメンテナンスをするなどの内受容感覚を生み出す作業。または、バイノーラル録音の音源を聞いたり、スキンケア、オイルの香りを嗅ぐなど、外受容感覚を生み出す作業。

これまで「気持ちいいな」と感じられた作業を、時間をかけて丁寧にやってみましょう。

心地良い感覚が充分に脳に届けられれば、腹側迷走神経系、交感神経系の働きにより、恐怖のフリージングは解かれていきます。

【解決策】まず心地良い感覚を脳に届ける

さて、次がいよいよ最後の章となります。

勉強ボディをつくるためには、睡眠というメンテナンスが欠かせません。アウトプットまでうまくできたら、そのサイクルを成長のスパイラルに乗せましょう。

ぜひ、勉強に効果的な睡眠法について知って、使いこなしてください。

第5章ポイント

アウトプットで、知識を知恵に変える

- 知識やスキルはアウトプットすることで自分のものになる
- 手書きの認知活動は脳への負担が少ない
- メンタル文法の機能を使えば、「膨大な知識」を得ても脳は容量オーバーしない
- 勉強が楽しくなるセルフトレーナーの声かけ「プロセス」「自律性」「比較なし」
- 【どうしても勉強に集中できないときの対策】「課題をひとつずつ見る」「計画仮眠」「6メッツの運動」「勉強している人と横並びに座る」「手元に香りを置く」「心地良い感覚を脳に届ける」

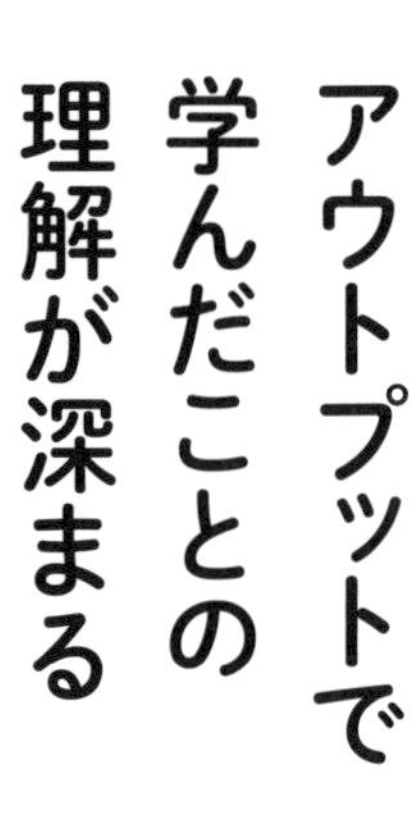
アウトプットで
学んだことの
理解が深まる

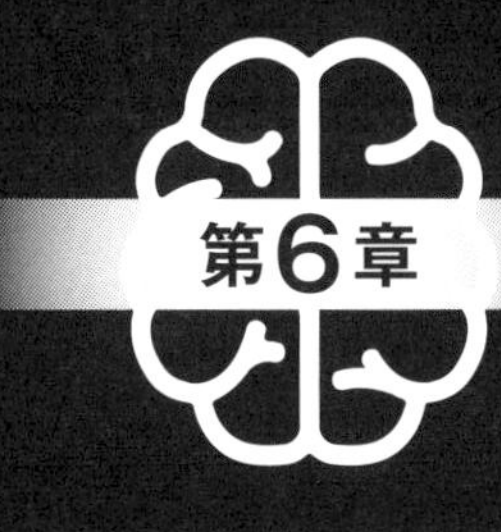

記憶の定着、知識の応用、ひらめきを生む「快眠法」

脳と体を回復させる「入眠」「睡眠」「起床」のコツ【メンテナンス】

●この章の目的

メンテナンスの技術を身につける

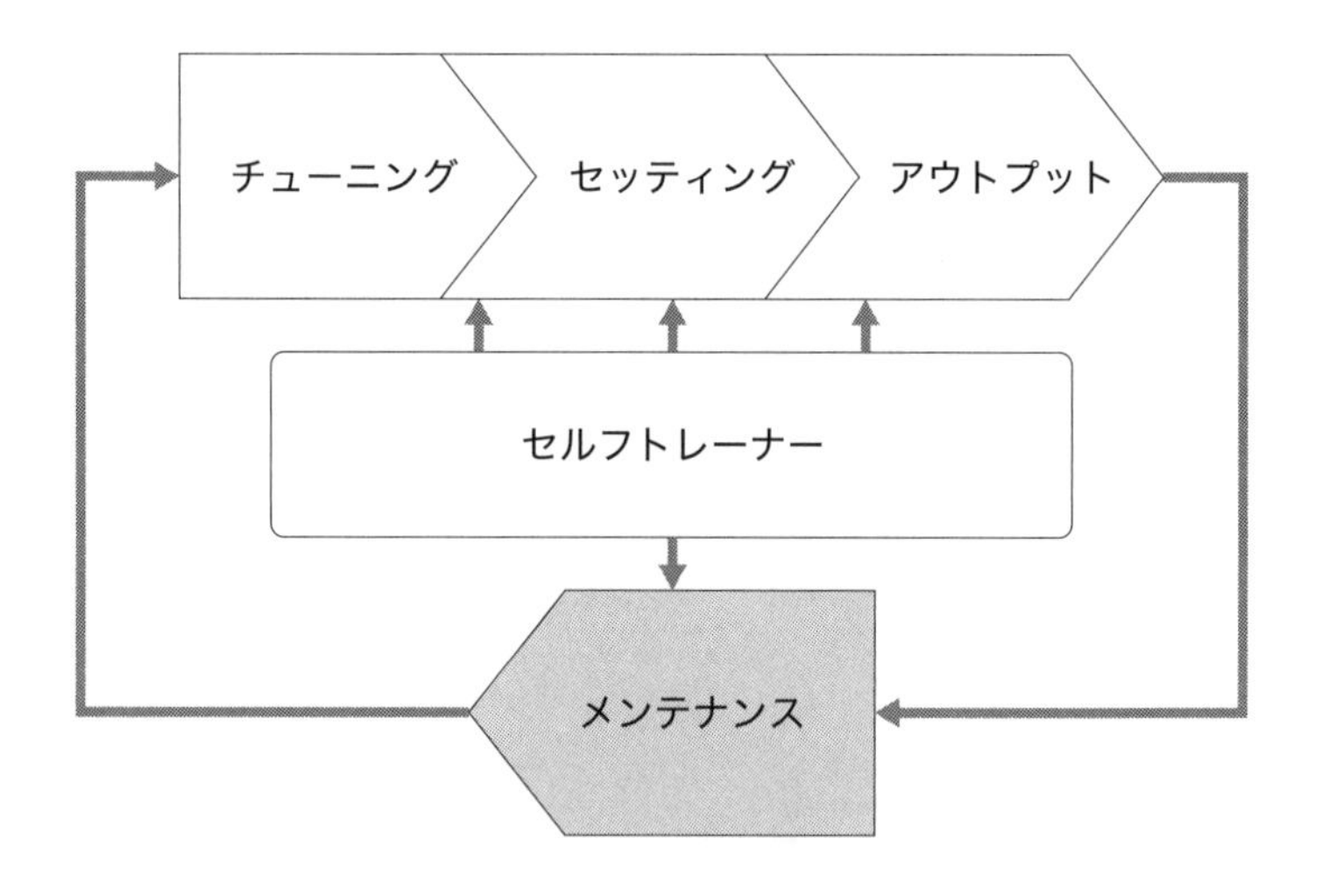

勉強は睡眠があってこそ成立する

チューニング、セッティング、アウトプットのステップを回すことで、勉強の効率と効果はぐっと高まります。

さらに、一段上のレベルの成長を遂げるためには、睡眠の質を上げることが必要です。ここからは、睡眠についてお話ししていきます。

記憶の定着、モチベーションの向上、ひらめきなど、重要なことは睡眠によって起こります。

入眠、睡眠中、起床と、睡眠といっても様々なカテゴリーに分かれています。これらすべてを質の高いものにすることで、昼間のパフォーマンスには大きな違いが生まれます。

この章では、勉強の疲れから効率良く回復しつつ、前日よりもすべてが少し上達した脳と体で、新しい1日を始める方法をご紹介します。

疲れた頭を素早くリカバリーするには、この「目と足」のケアを！

勉強を終えたら、疲れた脳と体を素早く回復させましょう。

状況と時間が許すならば、ぜひ、勉強後に取り入れていただきたいのが、ホットアイマスクと足浴です。

勉強は、自然体で楽しく臨んでいても、やはり大量のエネルギーを消費することは免れません。

特に、新しい情報に出会って興奮するときは、脳に血流が集中して末梢への血流が滞ったり、末梢の血管が収縮することで体が冷えてしまいがちです。

また、勉強は、どうしても視覚に頼らざるを得ないので、目の動きに関与する動眼神経、滑車神経、外転神経（迷走神経と同様に脳神経の一部）に負担がかかります。

ホットアイマスクを用いて自律神経の変化を調べた実験では、**副交感神経系の亢進と心拍数の低下、脳波のアルファ波の増加が認められています。**

さらに、画面を見続けると視覚の調整機能が低下します。水晶体の屈折調節機能は副交感神経系によって制御されているので、過度な集中で交感神経系の働きが高まると、水晶体の調節機能が妨げられます。

そこで、ホットアイマスクを使用すると、目の周囲の皮膚に温熱刺激が与えられて、副交感神経の働きが優位になり、視覚調整機能の回復が早まることが明らかになっています。

レンジでタオルを温めて蒸しタオルをつくってもいいですし、時間的に余裕があれば、お湯や蒸し器で蒸しタオルをつくると、より温熱効果は長持ちします。

足浴も、**交感神経系を鎮める効果が確認されています。**

仰向けで足浴（39℃のお湯）を15分間行なったときの心拍変動を調べた実験がありました。

足浴を始めると一過性に交感神経系が高まり、副交感神経系が低下し、その後、交感神経系の活動は低下し副交感神経系の活動が亢進することが明らかになっています。

そして、この効果は、足浴を終えた60分後でも持続していました。

足浴用のグッズは、折りたためるバケツや足だけ入れるサウナバケツなど、様々なグッズが販売されているので、勉強道具のひとつとして利用するのもいいでしょう。

さらに、長時間勉強する場合は、勉強の合間にこれらの道具を使うと疲れにくくなります。90分ごとに積極的に休憩を入れ、そのうちの1回を使って、目や足を温めるのがオススメです。

また、ホットアイマスクや足浴中に、脳のネットワークはデフォルトモードネットワークに切り替わるため、勉強を再開したときに、ひらめきが起こりやすくなります。

睡眠中の姿勢が良くなる勉強中の首の動かし方

勉強中は、教材やパソコンの画面を見続ける姿勢になり、このときに首を動かしてしまうと、昼間にも夜にも、体に負担がかかります。

首を形成する頸椎（けいつい）は、横から見ると前方に少しカーブした湾曲を描く形になっています。

この正常な前弯（ぜんわん）カーブが乱れると、首や背中、腰の筋肉に負担がかかり、痛みやこりが生じます。

頸椎は全部で7つありますが、第1、第2で構成される上位頸椎と、第3から第7で構成される下位頸椎に分けられます。

上位頸椎は、頭を動かす役割があります。

座って真っすぐ前を見た姿勢から、パソコンやスマホを見るときに、首はどんな動きをしますか?

画面をのぞき込むように首を前に突き出す姿勢をとっていたら、頸椎の前弯が乱れているので注意が必要です。

そこで、勉強中の首の動きを再設定しましょう。

座って真っすぐ前を向いた状態から、首を動かさずに、頭だけを下に向けて画面を見てみましょう。

第1、第2頸椎は、頭の後ろの骨がくぼんだあたりに位置します。アゴよりもずっと高い位置、ちょうど両耳の穴くらいの位置にあります。

この位置から頭は前に傾けられます。両耳を貫くように横に細い棒が走っていて、

それを軸に頭が前後するようなイメージで頭を動かしてみましょう。こうすると、首の湾曲は変えずに画面を見ることができます。

画面をのぞき込む姿勢をとっていると、昼間の勉強中に首に負担がかかるだけでなく、夜の睡眠中にも影響が及びます。

頸椎の後屈が助長され、下位咽頭腔（いんとうくう）の気道がすぼまって狭くなり、狭窄（きょうさく）してしまうのです。さらに口が開きやすくなり、鼻咽頭腔（びいんとうくう）も狭窄します。

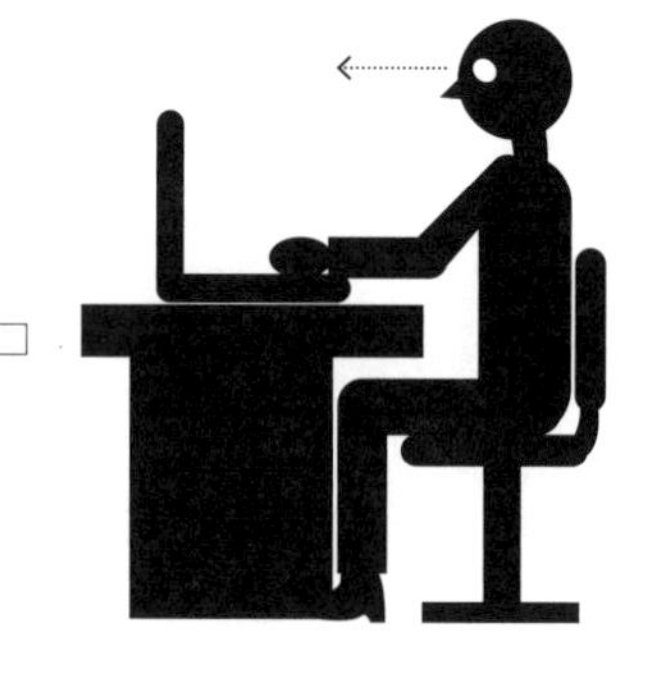

① まっすぐ前を見る

② 頭だけを下に向けて
画面を見る

これによって、**いびきや睡眠時無呼吸症候群のリスクが上がります。**

普段から、両耳の横軸を意識して頭だけを動かすようにしていると、睡眠中の姿勢も変わっていきます。

昼間の負担を減らし、夜の回復を妨げないように、パソコン、スマホを見る直前に、姿勢をセットしましょう。

主観と客観のギャップを知り、メンタル不調を予防する

自律神経活動のメンテナンスは、毎日の睡眠中に行なわれています。

ただし、ただ眠るだけではメンテナンスは不充分です。メンテナンスとしての質が確保された睡眠をつくることが不可欠です。

睡眠は、量に比べて質の評価が難しい現象です。

睡眠中は当然意識がないので、その作業がうまくいっているかどうかはリアルタイ

ムではわかりません。そこで、睡眠の質を計測しようという試みがなされています。病院や研究機関では、脳波・心電図・筋電図を使って睡眠の評価をするポリソムノグラフィ検査が用いられます。ただ、大がかりな検査なので、日常的には使えません。リストバンド型やスマホ搭載の睡眠アプリでは、モーションセンサーを使って体の動きを感知し、その動きから睡眠の波形を推測して睡眠の質を評定するものがあります。

こちらは簡便ですが、体の動きのデータだけを基にしているので、信憑性は低くなります。

体の動きに加えて、心拍数も計測できる睡眠計もあります。こちらは、ポリソムノグラフィと照合しても誤差が少なく、高い信憑性を実現させています。

このように、簡便かつ高い信憑性を有する機器がこれからどんどん登場してきますが、テクノロジーで睡眠の質を計測するときには、必ず落とし穴があります。

それは、**睡眠計のデータが改善しても、本人の満足感が上がらなければ、睡眠が改善したことにならない**、ということです。

睡眠は、主観と客観にギャップが起こる現象です。

「全然眠れない」と本人が言っていても（主観）、家族から見るとぐっすり眠っている

（客観）ように見えたり、「眠りには全く困らない」と言っていても（主観）、計測すると睡眠が頻繁に途切れている（客観）ことがあります。

この主観と客観のギャップの大きさは、メンタル不調のサインになります。このギャップが、不健康の指標になるのです。

睡眠の質を改善するには、主観と客観のギャップを埋めるのが必須です。そのためには、主観的な「睡眠感」を養う必要があります。

快眠を実現する4つのポイント

からだモニターを使って「自分の睡眠の質を観察」すれば、睡眠感は養われます。

睡眠感が養われると、実際の睡眠時間は大きく変化がなくても、睡眠への満足度が高まりメンタル不調は改善します。

睡眠の質をモニターするには、次のようなポイントがあります。

①眠る時間だから眠るのではなく、眠くなったから眠る感覚がある
②睡眠効率が85%以上である
③起床時の心拍数が下がっている
④眠る前の考え事について、目覚めた後に答えが出ている

これらについて詳しくお話ししつつ、ポイントを満たす方法をご紹介します。

①眠る時間だから眠るのではなく、眠くなったから眠る感覚がある
――「眠る前の自律神経の働きについて」

自律神経の働きには、1日の中で活発になって鎮静する日内変動があることが明らかになっています。

これに睡眠のサイクルが加わると、自律神経の働きは大きく変化します。

図（次ページ）は、1日の血圧と心拍数の変動を示しています。横軸は起床時を0

時として時間の経過を表し、黒いバーは睡眠中を表しています。

血圧、心拍数ともに、起床3時間前から高まり始めて、14時間後あたりから急激に低下していきます。

7時起床の場合は、明け方の4時頃から起床準備が始まり、夜の21時頃から就寝準備が始まるわけです。

血圧や心拍数が低下する低代謝状態になると、脳の覚醒レベルも下がり、眠くなってきます。

これが通常の現象なのですが、夜になっても交感神経系を活発に働かせていると、眠気を感じなくなります。

夜眠る前に、あくびが出るほどの明確

自律神経の日内変動

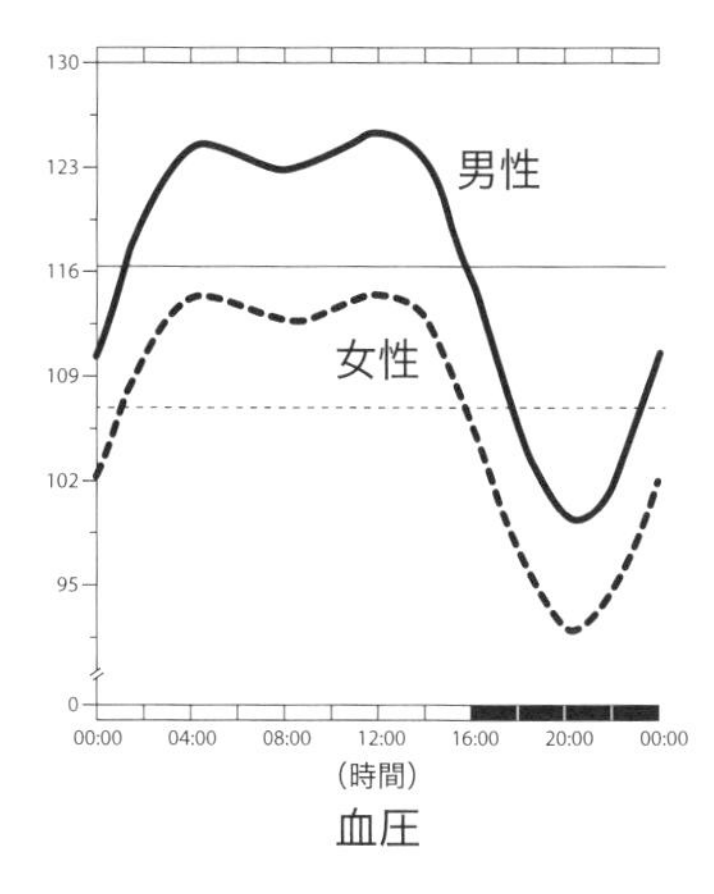

血圧

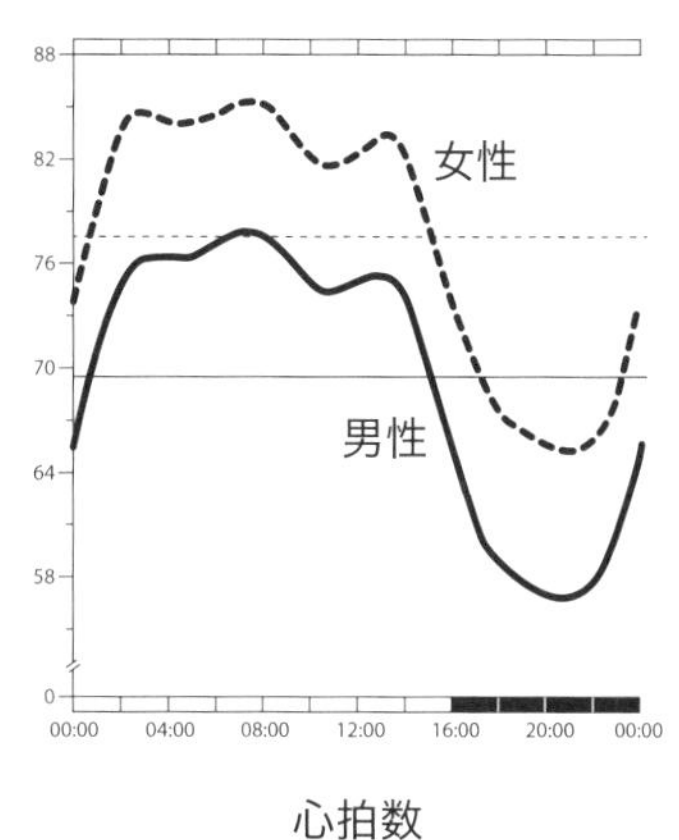

心拍数

な眠気がなく、「眠る時間だから眠よう」という感じで就寝していませんか？

これは、**睡眠の質が低下しているサイン**です。

「眠気を感じなくてもすんなりと眠れるなら問題ないだろう」と思われるかもしれません。しかし、勉強ボディとしての睡眠中の学習機能には、大きな影響があります。

レム睡眠が増えれば「勉強した内容を忘れ、苦痛だけが残る」

ここで、睡眠中に行なわれている学習機能について知っておきましょう。

睡眠と記憶の関係を調べた研究では、睡眠中には「記憶を定着させる作業が行なわれている」ことが明らかになっています。

睡眠は、その深さによって4段階に分けられています。

その第2段階の脳波中には、糸巻き状の形をした14Hzの紡錘波（ぼうすいは）と呼ばれる波が出現します。

この紡錘波は、「記憶の定着に寄与している」と考えられています。紡錘波は、断続的に出現します。紡錘波が出現したときは、脳の中の視床から、大脳皮質に投射する神経が活動していると考えられます。

この紡錘波の出現とほぼ同期して、記憶を司る海馬や大脳皮質の一部の神経活動が活発になることから、紡錘波は「記憶強化の作業のために、海馬と大脳皮質の間で情報伝達がされている」ことを示すと考えられているのです。

ところが、この紡錘波による記憶定着が妨げられてしまうことがあります。それは、「ベッドの上でスマホを見ながら眠る」といった、交感神経系を働かせながら入眠することです。

交感神経系が働いていると、コルチゾールというホルモンが分泌されます。コルチゾールは、血圧を高める作用があります。

本来は、起床する3時間前から分泌されていき、起床1時間前に急激に分泌が高まるリズムを持っています。

適切なタイミングで分泌されていると、これも記憶強化を促進する作用があると考えられています。

ところが、就寝前に画像を見て高揚する、といった交感神経系の活動が見られると、睡眠中のコルチゾールの分泌が増え過ぎます。

睡眠中のコルチゾールが増え過ぎた場合は、記憶定着が逆に抑制されることが知られています。

つまり、**「昼間に勉強したことを忘れてしまう」**ということです。

睡眠中のコルチゾールが増え過ぎると、睡眠の質も変化します。睡眠の後半に多く見られるレム睡眠が増えるのです。

通常、レム睡眠中には、海馬や扁桃体の活動が亢進し、情動の記憶が促進されます。紡錘波が対象とする記憶が勉強内容の記憶ならば、レム睡眠が対象とする記憶は勉強中の苦痛といったところです。

紡錘波が減り、レム睡眠が増えれば、「勉強した内容が忘れさられ、勉強したときの苦痛だけが残る」という事態になります。

これでは、メンテナンスどころか、勉強の効率も、モチベーションも下がってしまいます。

「ベッドの横」「ベッドに寄りかかる」、これが寝つきと寝起きを良くするカギ

勉強ボディのメンテナンスとしての睡眠は、まず、ベッドの上にスマホを持ち込まないことから始めてみましょう。

夜の習慣はなかなか変えられないものですが、行為の場所だけはたやすく変えることができます。

新しいことを実行するときは、必ず「小さな挑戦」にすることが大切です。

まずは、ベッドの上でだけはスマホを扱わないようにしてみましょう。

ベッドの横にイスを置いて座る、ベッドに寄りかかるなどしてスマホを扱い、文字が頭に入ってこなくなったり、眠気を感じたら、その場にスマホを置いてベッドに入ります。

こうすると、眠ることとスマホを見ることを切り離して、脳に覚えさせることがで

きます。

実践すると、**寝つきが良くなったり、朝目覚めたときに残る疲れが少なくなること****が実感できる**はずです。

自分のささいな行為で睡眠の質が変わることが実感できたら、勉強のために睡眠を使いこなすことへの関心もわいてくると思います。

試してみるべき目と体へのチューニング

次に試していただきたいのは、スマホやテレビなどの活動と就寝の間に、チューニングの時間を設けることです。

この場合は、脳と体を高代謝状態から低代謝状態にチューニングします。

部屋を暗くして、ベッド以外の場所で仰向けになって体の力を抜く。

または、**座って呼吸を観察するマインドフルネス、ストレッチやヨガ、トーンダウ**

ンする音楽を聴いたり、好きな香りのアロマオイルで足をマッサージするなど、過去やったことがあって「心地良い」と感じたことがある行為を挟み込んでみましょう。

チューニングの時間の理想は30分です。交感神経系の活動を高めるノルアドレナリンは、入眠30分前から急激に減っていくリズムを持っているからです。

ただ、時間がなければ、5分でも10分でも構いません。大切なのは、デジタルの刺激と睡眠の間に隙間（すきま）をつくることです。

横になって力を抜いたり、マインドフルネスをしていると眠くなることがあります。そのタイミングで就寝してみましょう。

寝つきが良いからといって、活動していたところから急に入眠するのと、眠りへのチューニングを挟んでから入眠するのでは、同じ量の睡眠時間をとっていても質が異なります。

チューニングを挟むと、交感神経系の活動が低下するのが早い分、深い睡眠に入りやすく、レム睡眠がムダに増えることも防げます。

現代人の宿命!?
寝る間際に不快反応を起こす「表情画像」

眠る前には、ネガティブな感情がわいてしまうので、それをそらすためにスマホを見ている、という人も多いようです。

ところが、この行為でネガティブな反応がさらに喚起されてしまうこともあります。実は、睡眠不足なほど、情動刺激に反応しやすくなるからです。

睡眠不足による脳への影響を調べた実験があります。

この実験では、5日間、ひとつのグループは4時間睡眠のみで睡眠不足状態をつくり、もうひとつのグループは8時間睡眠をとってもらっています。

実験の最終日に、幸せな表情や恐怖の表情など、情動を刺激する表情の画像を見せて、そのときの脳の活動をｆＭＲＩで記録し、睡眠不足のグループとそうでないグループとの違いを検証しています。

その結果、睡眠不足のグループでは、表情を見たときに、扁桃体が過剰に活動しました。

眠る前に、友人や知り合いがSNSに投稿した画像を見て、気持ちが乱れた経験はありませんか?

この実験で用いられた「**表情**」**のような情動刺激は、まさにSNSの投稿画像が該当**します。

友人の楽しそうな表情や得意そうな顔。そんな、普段なら流せる画像が目にとまり、見た瞬間、カッとなったり嫉妬(しっと)したり、やる気をそがれたり……。

そんな反応をしたら、まず疑うのは扁桃体の過剰活動です。

先ほどもお話ししたように扁桃体は、自分にとって害のある刺激を見つけて、それに対して対抗する姿勢をつくる役割を持ち、普段は前頭葉の内側領域と綿密に連絡をとっていて、ムダな刺激には反応しないように調整されています。

ところが、睡眠不足のグループの脳では、この前頭葉の内側領域との連絡が途絶えてしまっていました。これが、扁桃体が過剰に反応した原因です。

さらに、扁桃体と前頭葉の内側領域との間の連絡が弱くなることは、不快や憂うつな気分になりやすいことと相関していました。

睡眠不足になると、嫌な出来事に過剰に反応したり、気分が優れなくなることが脳の働きからも明らかになったわけです。

眠る前のネガティブな感情は、睡眠不足のサインです。感情をそらそうとSNSでさらにネガティブ反応をあおるのではなく、就寝前のチューニングによって眠りへの臨み方を再設定しましょう。

料理のにおいを嗅ぐ、これも快眠のトレーニング

睡眠不足による扁桃体の異常活動は、意外なことに影響します。それは、においです。

実は、うつ病の患者さんは、においを感じにくくなることがあります。うつ病では、

扁桃体が過剰に働いてしまいます。

扁桃体は、嗅覚と密接に関係していて、扁桃体に不具合が起こると、嗅覚にも不具合が起こってしまうのです。

食事のときににおいを感じにくかったり、普段からにおいに鈍感になっていたら、睡眠不足による扁桃体の過剰反応が起こっているかもしれません。

反対に、嗅覚を直接トレーニングすることで、嗅覚自体の改善を図る試みも行なわれています。

嗅覚に不具合が生じた人たちを2グループに分け、ひとつのグループには4種類の香り（合成のバラ、ユーカリ、レモン、クローブ）を1日に2回嗅いでもらい、それを12週間トレーニングとして行なってもらいました。

もう一方のグループには、嗅覚のトレーニングは行ないませんでした。

2つのグループを比較したところ、トレーニングを行なったグループは、嗅覚テストが有意に改善したという結果が出ました。

忙しい中では、食べ物のにおいを嗅ぐこともなく、早食いをしてしまいがちですが、調理中や食べる前ににおいを嗅いで、**具材や調味料の識別をしてみるなど、日常的に**

嗅覚をトレーニングすることは、扁桃体の活動の正常化に寄与します。

入浴中のバスオイルや就寝前のリラックスする時間にアロマオイルでマッサージをするなど「香りを楽しむチューニング」を挟めば、睡眠にも能動的に臨めるので、睡眠不足も脳の活動も改善できます。

②睡眠効率が85%以上である――《睡眠効率の計算公式》

医療機関で睡眠の質の評価に用いられるのが、睡眠効率です。睡眠効率は、次のように算出されます。

睡眠時間　÷　ベッドの中にいた時間（床内時間）　×　100

たとえば、0時に就寝して1時に寝つき、5時に目が覚めて6時にベッドを出た場合、睡眠効率は約66%になります。

医療機関で健康的な睡眠と判断されるのは、睡眠効率85%以上です。

これはおおよそ、**就寝から入眠に30分程度かかり、目覚めから起床までが30分程度かかった状態**です。

夜に眠気がきていないのに早めに就寝すれば、それだけ睡眠効率が下がります。ベッドの中で眠っていない時間を過ごすほど、交感神経系の活動は低下しにくくなり、睡眠の質が低下します。

そこで、眠気がきてから就寝することが大切です。

先ほどの例では、0時の時点で眠気がなく、1時に入眠しているので、0時30分に就寝してみれば、それだけ寝つきに時間がかからなくなります。

また、就寝から入眠までの時間を短く

睡眠効率の計算式
睡眠時間÷ベッドにいた時間（床内時間）×１００＝　　％

たとえば、０時に就寝して１時に寝つき、
５時に目覚めて６時にベッドを出た場合

床内時間：６時間
睡眠時間：４時間

４÷６＝0.６６
０.６６×１００＝６６％

睡眠効率６６％

するために、就寝を遅らせた分の時間をチューニングに充てることも有効です。

同様に、目覚めたらできるだけ早くベッドを出ることも大切です。朝から勉強ボディがつくられるために、寝起きにも一工夫しておきましょう。

「寝起き疲れ」と「午前中の不注意」を防止し、朝から勉強ボディをつくろう

目覚めるときに、スヌーズ機能のアラームを使っていませんか?

もし、スヌーズを何回も鳴らしてから目覚めている場合、これが、寝起きの疲れや午前中に集中できない原因になってしまいます。

睡眠の後半には、レム睡眠がまとまって出現します。

このレム睡眠の最中に音刺激を受けると、筋肉の交感神経活動が高まり、それに続いて血圧の上昇が起こることが確認されています。

眠っていて音に気づいていなかったとしても、急な刺激に体は反応して負担がかかっ

ています。

本当は6時に起きたいけれど、7時に起きてもギリギリ仕事に間に合うという場合、6時にアラームをセットして、スヌーズ機能を使って5分毎にアラームを鳴らしながら7時まで眠っている。

こんなことをしたら、脳と体への負担は大きくなります。

朝起きるまでに、音刺激によって12回も筋肉の交感神経活動と血圧の急上昇が起こるわけなので、大きな打撃を受けて起床するはめになるのです。

「目覚めが悪い」「朝からダルい」「仕事に行きたくない」という体がつくられるのも当然ということです。

朝から勉強ボディをつくるには、睡眠中に余計な音刺激を与えることは避けましょう。

朝起きられないのでスヌーズ機能を使っている、という人に試していただくことが2つあります。

起きたい時間に起きられる自己覚醒法とは？

ひとつ目は、起きる時間を3回言語化する「自己覚醒法」です。

アラームをセットするときには、いちいち「明日は6時に起きるぞ」と言語化はしません。起床時間の管理は、外部（アラーム）に委託しています。

先ほどの睡眠中の自律神経の働きからわかるように、脳と体は、起床時間の前から起床する準備に取りかかっています。

その準備を共同で行なうつもりで、**就寝時に起きる時間を3回言語化**してみましょう。

自己覚醒法の実験では、初日は6割程度の人が朝「スッキリ起きられた」と回答し、2日目以降は8割の人が寝起きの不快さが軽減しています。

頭の中でつぶやくだけでもいいですが、実際に口に出せば、なお効果的です。頭の中で言語化するのは内言語と呼ばれ、それに対して口に出すのは外言語と呼ばれます。

外言語では、口や舌の筋肉を動かす運動指令と、その音声を聴覚で感知する感覚情報が得られるので、動いて感じて準備してまた動く、という一連のサイクルを回すことができます。それだけ、**翌朝起きるための準備状態が整いやすくなる**わけです。

そうは言っても、スヌーズ機能を、いきなりやめるのは抵抗があると思います。

まずは、スヌーズはセットしたままで自己覚醒法を行ない、安全の中での挑戦にしてみましょう。

「昨日起きた時間にアラームをかける」と、規則正しいリズムが出来上がる!?

2つ目は、目標起床時間ではなく、実際に前日起床した時間にアラームをかける、という方法です。

これは、うつ病などで休職している人が、復職に向けて朝起きられるようになるために用いる方法です。

休職中にはなかなか起きられずに昼の11時ごろまで眠ってしまっていたとしても、この方法で7時に起きられるようになっていきます。

休職中の人は、「朝起きられるようにならなければ」という切迫感から、7時にアラームをかけることが多いのです。

そして、アラームに気づかなかったり、スヌーズを繰り返して昼ごろになってしまうことを繰り返してしまいます。

11時に起きたということは、11時に脳と体の準備が整った、ということです。

これが現在用意されている睡眠のゴールなので、**まずはそのゴールの時間にスッキリ起きられることを目指します。**

「11時に起きる」と自己覚醒法を行ない、11時にアラームをかけます。すると、10時50分ごろに目が覚めます。まだアラームが鳴る前です。

そこで起きられたら、その晩は10時50分にアラームをかけます。すると翌朝は、10時30分ごろに目が覚めます。その晩は10時30分にアラームをかける。

このように繰り返していくと、無理なく7時起床のリズムにもっていくことができるのです。

一般の方は、6時に起きた場合、6時にアラームをかけて7時に起床するのではなく、7時にアラームをかけます。

そんな危険なことは到底できない、と思われるかもしれません。そこで、まずは週末から試してみましょう。

平日に7時起床で週末に10時起床の場合は、前の週末に起きた時間にアラームをかけてみましょう。

先ほどと同様に、少し前に目が覚めるので、次の週末にはその時間にアラームをセットします。

週末ごとにこれを繰り返していると、平日にも変化が出てきます。スヌーズの回数が少なくなるのです。以前は12回鳴らしていたスヌーズが8回目で起きられる。このように、目覚めから起床までの時間の差が少なくなっていくと、寝起きの気分が良くなり、体は軽くなります。

大切なのは、睡眠中の自律神経の働きを邪魔しないことです。自律神経と協業していけば、朝から勉強ボディをつくることができます。

③起床時の心拍数が下がっている──「起床時の心拍数で睡眠の質を知る」

自分の睡眠の質を知るために、起床時の脈拍を計ってみるのもいいでしょう。

起床後に、仰向けになって手首に指をあてて脈拍を60秒間測ります。時間がないときは、15秒計って4倍すると脈拍が割り出せます。

心拍数が表示されるウェアラブル端末をつけて眠っている人は、毎朝同じ時間の数値を比べてみてください。

起床時の脈拍は、睡眠中の自律神経活動の乱れを反映すると考えられています。

起床時の脈拍を計測しているアスリートは、朝から疲れが残っているときには脈拍が速いと答える人が多いです。


起床時脈拍が遅ければ、「睡眠の質が良かった」と考えられます。

脈拍は、1分間に60から100回程度ですが、毎日計測してみると、帰宅が遅くなったり出張で疲れた日は、何日休むと回復するのか、という指標をつくることができます。

④眠る前の考え事について、覚めた後に答えが出ている
――《睡眠とひらめきについて》

睡眠は、ひらめきを促すことが実験で立証されています。この実験は、ひらめきが必要な数列変換課題を用いて行なわれています。

被験者にまず課題に取り組んでもらい、その後、「夜間の8時間に眠って過ごすグループ」「夜間の8時間を起きて過ごすグループ」「日中の8時間を起きて過ごすグループ」の3つに分けて、その後、再び課題に取り組み、前後の課題の取り組みでひらめきの割合を比較しています。

この結果では、**夜間に睡眠をとったグループが、有意にひらめきを生み出していたことが明らかになりました。**

夜間に8時間起きていたグループと、昼間に8時間起きていたグループの間に差はなかったことから、夜眠れなかったことが問題なのではなく、睡眠がとれなかったことがひらめきを低下させたと考えられます。

さらに、最初に課題を行なわずに夜眠ったグループと、日中起きていたグループも加えて検討されました。

結果は、この追加された2つのグループも、ひらめきの成績が低いことが示されました。

このことから、単に夜に眠るだけではひらめきには結びつかず、**勉強した後で眠ることが必要**だということが明らかになったのです。

勉強ボディのメンテナンスとしての睡眠は、日中の勉強があってこそ意味があるということです。

体の使い方を少し変えると、脳は最適に覚醒します。

セルフトレーナーにサポートしてもらいながら、「チューニング」「セッティング」「アウトプット」「メンテナンス」のステップを繰り返すと、勉強ボディはつくられます。

「勉強をスムーズに始める」
「途切れた集中を取り戻す」
「しっかりと記憶する」

「吸収した知識を応用したり、ひらめきを生む」

勉強ボディは、「勉強が苦手」「頭が悪い」と思い込んでしまっていた人にも、勉強の成果をより高めたいという人にも役立ちます。

本章でご紹介した方法の中で使いやすいものを選び、脳と体を、勉強に最適なゾーンに入れてみてください。

〝楽しみながら〟勉強を〝続ける〟ことができている自分を、実感できるはずです。

第6章ポイント

勉強は
メンテナンスで完了する

- ●記憶の定着、モチベーション向上、ひらめきは睡眠によって起こる
- ●疲れた脳と体を素早く回復させるには、ホットアイマスクと足浴が効果的
- ●睡眠姿勢を整えるために、勉強中には首を動かさない
- ●4つのポイントを知れば、睡眠への満足度が高まる
- ●交感神経を働かせながら入眠すると、勉強内容を失い、勉強時の苦痛が記憶される
- ●「ベッド以外の場所」で力を抜くと睡眠が深くなる
- ●睡眠不足だと、SNSにネガティブな反応をする
- ●嗅覚を鍛える＝睡眠に能動的に臨める
- ●スッキリ起きて勉強中の不注意をなくすカギは「言語化」と「前日の起床時間」

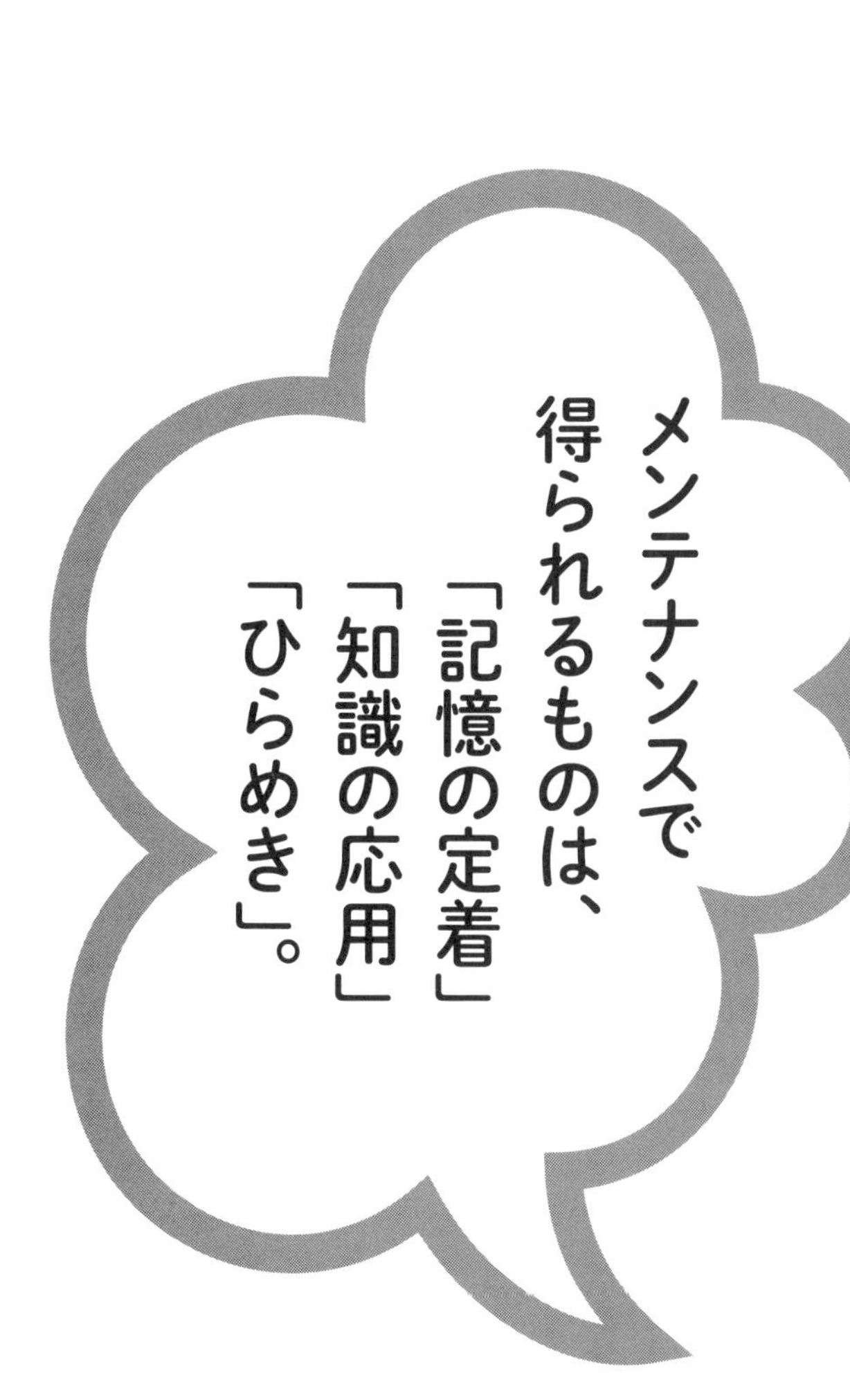
メンテナンスで
得られるものは、

「記憶の定着」

「知識の応用」

「ひらめき」。

エピローグ

いかがでしたでしょうか。

ここまで読んでいただき、勉強ボディをつくってみると、心は自然に学ぶことを求め出したのではないでしょうか。

本書では、「体づくりができれば、勉強はできる」とお話ししてきました。これまで、勉強するために体をつくるという発想はなかった人が多いかもしれません。

学校やカルチャースクール、セミナーに行きさえすれば、体が整っていようがいまいが、勉強はできます。

とりあえず、学ぶ場所には行っているわけですし、表面的に勉強ができているのですから。そのため、もし勉強がはかどらないことや理解が追いつかなかったら、それは個人の知的能力の問題だ、と考えることが一般的だったと思います。

ところが、新型コロナウイルス感染拡大で、勉強ボディがつくられているかどうかが露呈(ろてい)されました。

学校が休校になったり、カルチャースクールが開校しなくなり、自宅にいる時間が長くなると、勉強する人としない人が二極化したのです。とりあえず、「勉強する場に行くだけでいい」という認識が通用しなくなってしまいました。

これから先の社会では、勉強のために「学校に入る」ということが第一条件ではなくなるかもしれません。

良質な教材がオンラインで学べるようになると、「勉強の場」に出向かなくても、勉強はできるようになります。

こうなると、ただ「勉強の場」に行くだけでよかった頃に比べて、自分で勉強ボディをつくっていかなければならない分、準備をする手間が増えます。

しかし、勉強が嫌いだったり、スクールでの授業が苦痛だったという人にとっては、自分次第でどのようにも勉強できるので、大きなチャンスです。

つまり、自分で勉強ボディをつくることができる技術が、勉強の出来を左右するようになるのです。

デジタルとアナログの特徴を使いこなす

また、オンラインやデジタル教材で勉強する機会も増えていくでしょう。その流れに上手に適応していくには、デジタルとアナログの勉強の違いを理解しておく必要があります。

本書の第5章で、「デジタルのメモでは認知負荷が強過ぎて、頭の中で知識の整理ができず、ただ文字を入力するだけになってしまう」とお話ししました。これは、教材を読む場合も同じです。

デジタル端末で文章を読んだ場合と、紙媒体で読んだ場合の理解の違いを調べた実験があります。

この実験では、学生77人に対して、文章の解釈をしたときその傾向を測定する心理テストを受けてもらい、タブレット端末と紙のグループに分かれて、媒体の違いによる差が調べられました。

その結果、タブレット端末で読んだグループは具体的な解釈をしたのに対し、紙媒体で文章を読んだグループは抽象的な解釈をしていました。

たとえば、「家を掃除する」という文章を読んだならば、タブレット端末のグループは「床に掃除機をかける」と解釈し、紙のグループは「家をきれいにする」と解釈します。

同じ勉強をしていても、デジタルかアナログかの媒体の違いによって、理解の仕方に違いが生まれるということです。デジタル端末で学習すれば、文章や図を読むこと自体に認知負荷が強いので、その問題と答えをそのまま理解することになるでしょう。つまり、応用力が欠如してしまう懸念があります。

デジタルとアナログの学習の差について、よくこんな言われ方をします。

「紙の学習では知識を覚えて、デジタル媒体の学習では知識のある場所を覚える」

これは、実感があると思います。何かわからないことがあると、過去の知識を掘り起こすより先にネット検索をするでしょう。

答えが掲載されていれば「わかった」気になりますが、自分の知識という感覚とは異なります。

私たちは、すでにスマホやパソコンで日常的に知識のありかを検索しているので、勉強でも、自分が覚えるより知識のありかを覚えることが当たり前になっていくと思います。

これはよし悪しではなく、両者の違いを理解して、勉強の目的や場面に応じて、媒体を選ぶ技術が必要になっているということです。

ソーシャリゼーションを自分で確保する

企業でもテレワークの導入が進み、自宅で仕事や勉強をする機会も増えています。

２０２０年9月の調査研究で、テレワークの課題のひとつに、ソーシャリゼーションが挙げられています。

ソーシャリゼーションとは、「社会の規範や価値観を学び、社会における自らの位置を確立すること」です。

会話をしてお互いのことをよく知り、社会の中での自分の位置付けを知ることで、社会や会社の一員であることを認識し、それに合った振る舞いをすることは、対面でなければ満たすことが難しいという見解です。

ソーシャリゼーションは、本書で取り上げた腹側迷走神経系の働きを支えているので、「社会の場」に出向かなければ、良いパフォーマンスの発揮が難しくなります。

その一方で、ソーシャリゼーションの意味がこれまでとは変わり始めている、という側面もあります。

オンラインの会議では、参加者がまんべんなく発言をすることが多く、「上司の前だから対面では発言しなかったかもしれない」内容も、「オンラインならば発言する」という傾向が出てきています。

これは、社会における上下関係や年功序列といった慣例を重視するより、目的志向的に社会をとらえる思考に変わる条件がそろった、ということだと思います。

肩書や社会的な立場が及ぼす影響が減ると、重要になるのは自分に備わったスペックです。自分が生物であることに立ち返り、生物としてのパフォーマンスを高めるためのソーシャリゼーションをつくっていく。

社会が先にあるのではなく、腹側迷走神経系の働きを活かせる社会を自分でつくる。「個別性が重視されるこれからの社会」だからこそできることです。

本書の内容を、これからのあなたの活躍に役立てていただけたら嬉しいです。「学ぶことは本来楽しいことだ」と実感していただけることを願っています。

菅原洋平

【参考文献】

寺澤悠理，他：内受容感覚と感情をつなぐ心理・神経メカニズム．
心理学評論 57：49-66, 2014

Tillisch K,et al：Consumption of fermented milk product with probiotic modulates brain activity. Gastroenterology 144：1394-1401,2013

Strack, F.,et al. 1988. Inhibiting and facilitating conditions of the human smile：A nonobstrusive test of the facial feedback hypothesis. Journal of Personality and Social Psychology, 54,768-777.

Schaefer M, et al：2014：Rough primes and rough conversations：evidence for a modality specific basis to mental metaphors,SocCogn Affect Neurosci, 9（11）：1653-1659.

Hasenkamp,W,et al：2012：Mind wandering and attention during focused meditation：A fine-grained temporal analysis of fluctuating cognitive atates,in Neuroimage, 59,750-760.

Schultz W：1998:Predictive rewaed signal of dopamine neurons.J Neurophysiol, 80,1-27.

R.Jackendoff：1993：Patterns in the Mind,Language and Human Nature,Basic Books.

鈴木雅之：受験競争観と学習動機，受験不安，学習態度の関連．教育心理学研究 62:226-239,2014

Mueller,P.A, et al：2014.The pen is mightier than the key board：Advantages of longhand over laptop note taking. Psychological Science, 25（6）,1159-1168. SAGE Jounals

Hermida RC,et al:Modelling the circadian variability of ambulatory monitored blood pressure by multiple component analisis. Chronol Int.19：461-481,2002

栗山健一：2012：精神ストレスの遷延防止―ＰＴＳＤの発症・悪化防止のための睡眠医療―：精神経誌，114（2）,136-143.

【参考書籍】

『ポリヴェーガル理論入門　心身に変革を起こす「安全」と「絆」』（春秋社）
ステファン・W・ポージェス 著／花丘ちぐさ 訳

『「ポリヴェーガル理論」を読む　からだ・こころ・社会』（星和書店）
津田真人 著

菅原洋平

（すがわら・ようへい）


作業療法士。ユークロニア株式会社代表。

1978年、青森県生まれ。

国際医療福祉大学卒業後、作業療法士免許取得。民間病院精神科勤務後、国立病院機構にて脳のリハビリテーションに従事。

その後、脳の機能を活かした人材開発を行なうビジネスプランをもとに、ユークロニア株式会社を設立。

現在、ベスリクリニックで外来を担当する傍ら、企業研修を全国で行ない、その活動はテレビや雑誌などでも注目を集める。

ベストセラー『すぐやる！「行動力」を高める“科学的な”方法』（文響社）、『あなたの人生を変える睡眠の法則』（自由国民社）など、著書多数。

本書は、脳神経のひとつである迷走神経の働きをうまく導き、「脳と体を最適に覚醒させて勉強する方法」をわかりやすく解説している。

ヤバい勉強脳
すぐやる、続ける、記憶する 科学的学習スタイル

2020年12月4日　第1刷発行

著　者　菅原洋平
発行者　大山邦興
発行所　株式会社　飛鳥新社
〒101-0003 東京都千代田区一ツ橋2-4-3
光文恒産ビル
電話（営業）03-3263-7770（編集）03-3263-7773
http://www.asukashinsha.co.jp

編集協力　森下裕士
DTP　佐藤千恵
装　丁　西垂水敦、松山千尋（krran）

印刷・製本　中央精版印刷株式会社

ISBN978-4-86410-795-2